DE ERFENIS VAN MENEER ISAKOWITZ

DANNY WATTIN

De erfenis van meneer Isakowitz

VERTAALD DOOR EDITH SYBESMA

AMSTERDAM · ANTWERPEN

2014

Voor alle overlevers

Q is een imprint van Em. Querido's Uitgeverij BV, Amsterdam

Oorspronkelijke titel *Herr Isakowitz skatt*
Oorspronkelijke uitgever Piratförlaget, Zweden
Copyright © 2014 Danny Wattin
Copyright vertaling © 2014 Edith Sybesma /
Em. Querido's Uitgeverij BV, Singel 262, 1016 AC Amsterdam

Omslag Studio Jan de Boer
Omslagbeeld Louise Morgan/Getty Images
Foto auteur Ulrica Zwenger

ISBN 978 90 214 5707 9 / NUR 302
www.uitgeverijQ.nl

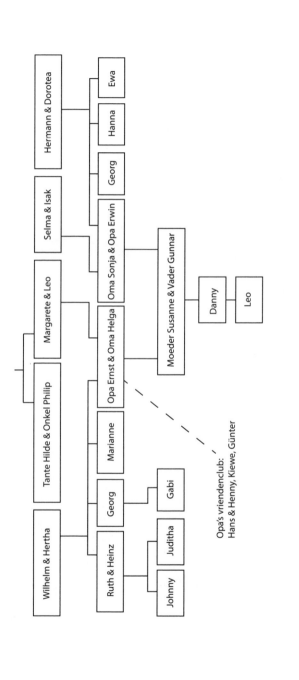

Opa's vriendenclub:
Hans & Henny, Kiewe, Günter

1

Mijn opa Erwin vertelde iets

Mijn opa Erwin vertelde bijna nooit iets over zijn verleden. Niet over zijn jeugd in de jaren twintig en dertig in Duitsland, niet over zijn ouders, en niet over hoe hij in Zweden terechtgekomen was. Ik weet niet waarom hij niets zei over wie hij was of waar hij vandaan kwam. Misschien was hij bang dat hij zich te veel zou herinneren. Want bang was hij, en zijn kinderen vroegen hem er niet naar, ze keken wel uit. In dat gezin stelde je geen vragen. Bepaalde dingen pikte mijn vader natuurlijk toch wel op. Dat mijn opa Erwin opgegroeid was in een kleine stad die Marienwerder heette, bijvoorbeeld, dat hij van zijn moeder hield en een hekel had aan zijn vader, en dat zijn ouders een herenmodezaak hadden gehad. Dat was het wel zo'n beetje. De achtergrond van mijn opa stond zo laag op het lijstje van mogelijke gespreksonderwerpen dat mijn vader, toen ik hem naar de naam van zijn opa vroeg, dat moest opzoeken in een tabel in zijn stamboomonderzoek. Daarin vult hij een datum in wanneer familieleden van hem worden geboren of overlijden.

Voor een (klein)kind van mensen die de Holocaust hebben overleefd, heeft een bezigheid als stamboomonderzoek onbetwistbaar unieke voor- en nadelen. Het is bijvoorbeeld tamelijk eenvoudig om erachter te komen wanneer je familieleden zijn overleden, aangezien de nazi's erg goed waren in het documenteren van wat ze tijdens de oorlog deden. De nadelen zijn in dit geval wel dat er niet veel familie meer over is om onderzoek naar te doen, en dat de takken van de stamboom die nog bestaan tegenwoordig in heel verschillende delen van de wereld groeien. Bovendien is de relatie tussen deze overgebleven takken erg gecompliceerd, bijna afwezig. Mijn opa was de oudste van vier kinderen. Zijn beide zussen leefden niet meer en met zijn broer in Argentinië had hij geen contact. Dat kwam, dachten wij van de Zweedse tak van de familie, doordat Georg niets met ons te maken wilde hebben. En aangezien wij, net als alle mannen van de Wattinclan, even gevoelig als lichtgeraakt zijn, wilden wij in dat geval ook niets met hem te maken hebben. En trouwens, vond mijn vader, je hoeft geen contact te hebben met mensen alleen omdat ze familie zijn. Soms is het genoeg om te weten wanneer ze geboren en overleden zijn.

Maar voordat dit verhaal doorschiet naar al te gedetailleerde familiebeschrijvingen is het misschien goed om te onthullen wat mijn opa Erwin aan zijn kinderen vertelde. Hij vertelde dat zijn vader, Hermann Isakowitz, voor zijn verdwijning zijn kostbaarste bezit bij een boom op zijn erf had begraven. Dat verhaal heb ik in de loop der jaren vaak gehoord, zowel van mijn vader als van mijn oom. Maar heel eerlijk gezegd had ik daar nooit lang bij stilgestaan. Het was gewoon een van de vele familieverhalen. Mijn grootouders waren per slot van rekening allemaal Joodse vluchtelingen, met een levensgeschiedenis die dramatischer was dan de meeste romans. Dus een begraven dingetje was niet meteen iets waar ik erg van opkeek. Maar mijn oudste zoon Leo wel, toen hij er een paar jaar geleden over hoorde.

'Wat?' vroeg hij. 'Hebben we een schat?'

'Nou ja,' zei ik. 'Ik neem aan dat je dat wel kunt zeggen. In ieder geval dacht mijn opa dat. Hoewel, schat, schat, ik weet het niet.'

'Wat is het voor schat? Is het goud?'

'Dat weet ik niet,' zei ik, 'maar ik denk dat het zijn waardevolste bezit moet zijn geweest. Sieraden misschien, of persoonlijke eigendommen. Dat deden veel mensen natuurlijk in die tijd. Hun spullen begraven.'

'O ja? Waarom?'

'Zodat ze die later konden opgraven, wanneer ze terugkwamen.'

'En deden ze dat ook?'

'Wat?'

'De spullen opgraven?'

'Nee,' zei ik, 'dat deden ze niet.'

'Waarom niet?'

'Omdat... Nou ja, de Duitsers hadden hen opgehaald... Ze waren dus naar een...'

'Dan moeten wij hem gaan halen.'

'Wat?'

'De schat, Danny. We moeten de schat gaan halen.'

Ik keek mijn zoon aan. Dit was zo'n twee jaar geleden, dus hij moet een jaar of zeven geweest zijn. Hij had nog die open blik, die kinderen tot een bepaalde leeftijd hebben en die zo fantastisch naïef en scherpzinnig tegelijk is. En hij had duidelijk iets gezien waar ik in al mijn volwassenheid totaal aan voorbijgegaan was. Namelijk dat je, als je een schat hebt, die natuurlijk ook moet gaan zoeken.

Hij had uiteraard gelijk. Hoe meer ik erover nadacht, des te zekerder werd ik ervan. Wat mij echter vooral aanlokkelijk leek, was niet de kans om waardevolle spullen op te graven. Ik had veel grootsere plannen. Dit moest een pelgrimstocht worden waarbij drie generaties mannen – mijn zoon, mijn vader en ik – terugreisden om onderzoek te doen naar de oorsprong van de familie. Het zou een helende reis worden. Een reis van begrip. Een reis waarin wij drieën nader tot elkaar zouden komen en alles zouden ontdekken wat ons, in weerwil van onze vele verschillen, verbond. Zo zag mijn plan eruit.

Het plan van mijn vader was iets praktischer. Dat zie ik in wanneer ik de avond voor vertrek achter de computer zit in mijn ouderlijk huis in Upplands Väsby om een hotel te boeken voor onze reis.

'We doen het zo,' zegt hij. 'Ik sta om halfzes op om brood te smeren. Om zes uur laat ik de hond uit en daarna ontbijten we. We vertrekken om zeven uur. Wie het fitst is, rijdt.'

'Maar de boot vertrekt pas om negen uur 's avonds,' zeg ik. 'En zo ver is het toch niet naar Karlskrona?'

'Ik wil zeker weten dat we op tijd komen. En ik wil voor de spits weg zijn.'

'Zo erg kan het toch niet zijn met het spitsverkeer?'

'Ik forens al dertig jaar. We vertrekken om zeven uur.'

'Kunnen we niet na de spits vertrekken?'

'Nee. We vertrekken om zeven uur, dan hebben we genoeg tijd om onderweg te stoppen of iets anders te doen als we dat willen.'

Ik knik, ook al ben ik er rotsvast van overtuigd dat we geen veertien uur nodig hebben om de ruim zeshonderd kilometer naar Karlskrona af te leggen. Ondanks alles ben ik blij dat mijn vader meegaat. Vooral omdat hij niet zo graag naar nieuwe plaatsen reist, of het risico loopt met vervelende verrassingen te worden geconfronteerd – en met mij als reisgezelschap neemt de kans daarop exponentieel toe, meent hij.

'Trouwens,' zegt hij, 'heb je al een hotel geboekt?'

'Daar ben ik mee bezig.'

'Nu? Dat is wel erg laat. Robban zegt dat het razend duur is om in een hotel in Polen te overnachten, en dat we allang hadden moeten reserveren.'

'Ik reserveer nu.'

'Ja, ja,' zegt mijn vader, 'maar ik wil niet in zo'n vlooienhotel slapen als waar jij logeerde toen je door Azië reisde. Dan krijg je zelf ook vlooien.'

'Ik heb een reisgids gekocht,' antwoord ik. 'Daar kies ik een hotel uit.'

'En ik ben niet van plan in de auto te slapen,' gaat mijn vader verder. 'Dan weet je dat vast. Als je in Polen in de auto slaapt, wordt je keel doorgesneden.'

'Je keel wordt niet doorgesneden als je in de auto slaapt,' zeg ik.

'Dat denk jij. Het zijn daar allemaal antisemieten.'

'Dat is niet zo.'

'Dat denk jij,' zegt mijn vader.

'Ja, dat denk ik,' zeg ik, en voordat ik me kan inhouden steek ik een lang braafste-jongetje-van-de-klasverhaal af over een heleboel aardige Polen met wie ik contact heb gehad en die me hebben geholpen met het inwinnen van informatie over onze familie. 'En trouwens,' voeg ik eraan toe, 'ze zijn bezig met het opzetten van een museum over de geschiedenis van de Joden van Warschau. En dat wordt heel mooi. Dus.'

Wanneer ik klaar ben met mijn uiteenzetting is mijn vader even stil en daarna zegt hij: 'Dan mag jij in de auto slapen, en gaan Leo en ik in een hotel.'

'Ik ben niet van plan in de auto te slapen,' zeg ik. 'En niet alle Polen zijn antisemieten. Je kunt ze niet allemaal over één kam scheren.'

'Nee, nee,' zegt mijn vader, 'en wat is er ook weer gebeurd met de Poolse Joden die de Holocaust hadden overleefd en na de oorlog waren teruggekeerd?'

'Jawel, maar...'

'Werden ze er soms niet van beschuldigd dat ze Poolse kinderen hadden ontvoerd en hun bloed hadden gedronken? Alweer?'

'Dat op zich wel, maar...'

'En kwamen er soms geen nieuwe pogroms?'

'Jawel, maar...'

'En eind jaren zestig, toen de communistische regering openlijk antisemitisch werd, toen gebeurde het nog eens. Dat weet je toch?'

Natuurlijk weet ik dat. Want toen kreeg de schoonvader van een oom van me, die als kind in een concentratiekamp had gezeten en dat op miraculeuze wijze had overleefd, er eindelijk genoeg van en verliet Polen. Toch weiger ik toe te geven dat mijn vader gelijk heeft. Vooral omdat je deze discussie kunt zien als de zoveelste aflevering van het debat dat we al zolang ik me kan herinneren voeren en dat waarschijnlijk door zal gaan totdat een van ons overlijdt. Waarin hij beweert dat de mens van nature slecht is, en ik beweer dat dat niet zo is.

Ter verdediging van Polen moet je bovendien zeggen dat dit land eeuwenlang feitelijk de enige Joodse vrijplaats is geweest. En een beetje antisemitisme moet je als man accepteren. Het is per slot van rekening een oeroude traditie waarbinnen we er onder andere van beschuldigd zijn achter grootse gebeurtenissen te zitten, zoals:

- pest en zwarte dood
- de nederlaag van Duitsland in de Eerste Wereldoorlog
- mislukte oogsten
- de dood van Jezus (die weliswaar zelf Jood was, maar vooruit)
- het conflict in Darfur
- aardbevingen en orkanen (onder andere Katrina)
- alle financiële crisissen, inclusief de laatste (volgens dertig procent van de ondervraagde Europeanen)
- alle kwaad van de wereld (volgens Mel Gibson).

Na een onnodig lange discussie geef ik hoe dan ook toe dat mijn vader een punt heeft dat we niet in de auto moeten slapen (ook al zullen we niet worden onthoofd). Dan loopt mijn vader tevreden de trap op om te gaan slapen, terwijl ik achter de computer blijf zitten om door te gaan met mijn boekingen en naspeuringen voor de reis.

'Maak het niet te laat,' hoor ik mijn moeder van boven roepen. 'Jullie moeten morgen vroeg op.'

'Welterusten,' schreeuw ik terug.

'Wat doe je daar beneden?'

'Hij zit vast tv te kijken,' klinkt de stem van mijn vader. 'Ze hebben thuis geen tv.'

'We hebben een computer waar je tv op kunt kijken,' schreeuw ik. 'En ik kijk geen tv. Ik boek hotels. Mooie hotels, met ontbijt.'

'Hij kijkt tv,' zegt mijn vader. 'En je wilt niet weten waar hij naar kijkt. Die zoon van je is een echte viespeuk.'

'Blijf niet te lang op,' roept mijn moeder. 'Denk eraan dat jullie morgen moeten rijden.'

'Daar denk ik ook aan.'

'En doe de tv uit als je klaar bent,' schreeuwt mijn vader, waarna de stilte eindelijk neerdaalt over huize Wattin.

Ik richt mijn aandacht weer op de computer. Ondanks alle ironische commentaren ben ik blij dat mijn vader meegaat en ik heb besloten om voor zijn genoegen veel betere hotels te boeken dan ik ooit voor mezelf alleen gedaan zou hebben.

Omdat ik weet dat er weinig dingen zijn die hij meer waardeert dan een goed ontbijtbuffet, boek ik er daar ook een paar van bij nu ik toch bezig ben. Dan doe ik een laatste poging om contact te krijgen met de persoon die ik het liefst van alles wil ontmoeten in Polen. Een man die belangrijke informatie schijnt te hebben over mijn overgrootvader en zijn modezaak. Ik doe al een halfjaar naspeuringen en weet al een heleboel, bijvoorbeeld dat de buurt waar Hermann Isakowitz woonde in brand gestoken is toen de Russen aan het eind van de Tweede Wereldoorlog Marienwerder innamen. Ik weet ook dat Hermanns Duitse woonplaats na de oorlog Pools is geworden en dat de naam ervan toen is veranderd in Kwidzyn. Bovendien weet ik dat een groot deel van de documentatie die over de plaats bestond ten tijde van de Russische invasie is verdwenen, wat het op zijn beurt moeilijk maakt om achter dingen te komen die met mijn overgrootvader te maken hebben. Daarom kon ik mijn geluk nauwelijks op toen ik, via een stamboomonderzoeker uit Warschau, de contactgegevens kreeg van een Poolse blogger genaamd Lukasz, die volgens die genealoog het best op de hoogte is van de zaken waar ik duidelijkheid over wil krijgen. Maar het was niet makkelijk om die man te pakken te krijgen. Ik mail nu al maanden, in het Engels en in Google-Translate-Pools, zonder ook maar enige reactie te krijgen. Die krijg ik nu pas, in mijn ouderlijk huis, de nacht voor ons vertrek. Nu duikt er opeens een bericht van hem op in mijn inbox. En dat bericht eindigt zo:

'Ik ben erg blij dat je me schreef. Ik ben de enige persoon uit Kwidzyn die kunnen iets over je familie van Marienwerder weten. Ik weet waar zijn kleding winkel waar hij was en (Hermann) woonde. Kortom ik weet het verhaal van zijn leven.'

2

De voorstad-Jood

Ik word wakker op een matras op de grond in de oude meisjes-kamer van mijn zus en mijn zoon slaapt op een bedbank vlak naast me. Beneden in de keuken hoor ik het gepruttel van een koffiezetapparaat en het geblaf van de hond van mijn ouders, dat wordt gevolgd door een barse terechtwijzing van mijn vader en gefoeter van mijn moeder. Daar merkt mijn zoon niets van. Hij slaapt rustig door en ziet er zo uitgeput uit dat ik hem niet wakker wil maken. Ook al is het al zes uur geweest en riskeren we daarmee dat er aan het goddelijke plan van mijn vader getornd wordt.

Ik sluip de kamer uit, ga op het balkon staan en kijk naar de straat waar ik als kind heb gespeeld. Het ziet er nog ongeveer hetzelfde uit. De bijna identieke bakstenen villa's staan op een rij, de auto's zijn pas gewassen en de gazons gemaaid. Als kind had ik niet door hoe homogeen de voorstad was waarin ik ben opgegroeid, en dat alle huizen en straten uit precies dezelfde mal kwamen. Ik zag ook niet dat de meeste mensen die hier net als mijn ouders waren komen wonen toen de wijk begin jaren zeventig werd gebouwd ongeveer even oud waren, kinderen van dezelfde leeftijd en een gemeenschappelijke culturele achtergrond hadden. Bepaalde uitzonderingen daargelaten, natuurlijk, zoals de geadopteerde kinderen uit India en Chili die bij me op school zaten. Maar afgezien van die vreemde vogels denk ik niet dat je een homogenere woonwijk had kunnen vinden als je er een had gezocht. Dit was zo'n plaats waar de extremistische partijen in Europa tegenwoordig van lijken te dromen. Een goed georganiseerde kleine voorstad met volwassenen die plichtsgetrouw naar hun werk in de stad forensden, terwijl hun welvarende Arische kroost naar de gemeentelijke kleuterschool ging. Een wijk zo Zweeds dat Hitler, als hij bij mij in de klas had gezeten, degene zou zijn geweest die gepest werd omdat hij eruitzag als een allochtoon.

En daar, midden in die Arische droom, woonden wij. De meest geassimileerde van alle stammen van Israël: de voorstad-Joden. Die varkensschnitzel aten op onze familiediners, het gras maaiden op de sabbat en zuivelproducten mengden met vlees zodra de kans zich voordeed. Zelfs als we ons best ervoor hadden gedaan, hadden we, volgens mij, niet Zweedser kunnen worden. We hadden een hond en een zeilboot en we gingen cantharellen plukken in het bos. We zongen kinderliedjes uit *Nu gaan we zingen*, dansten om de meiboom en hadden ouders die net zo belachelijk vaak als alle andere hun auto's wasten en hun gras maaiden.

Kortom, we waren Hitlers ergste nachtmerrie. Een vreemd element dat binnengeslopen was en wortel had geschoten. Zo geassimileerd waren we dat niemand kon zien dat we niet zo waren als iedereen. Dat kameleontische kwam mij en mijn zus heel goed van pas, want we wilden niet opvallen en zouden het erg vinden als de mensen erachter kwamen dat we anders waren. We wilden ons alleen maar aanpassen.

Daarom was het jammer dat er, als je iets verder keek, toch een heleboel dingen waren die ons onderscheidden van onze omgeving. We kwamen natuurlijk ondanks ons bedrieglijke uiterlijk uit een cultuur waar men, anders dan in de Zweedse, conflicten niet vermeed maar actief opzocht en er vervolgens alles aan deed om ze in leven te houden. Wanneer ik erover nadenk, was er waarschijnlijk niets zo onbenullig dat mijn familie er niet over kon zaniken. Geen harmonieuze verbondenheid die niet ontwricht kon worden met behulp van een paar goedgekozen opmerkingen, geen aangename stilte die niet geladen kon worden met ongevraagde goede raad. Het resultaat was voortdurend geruzie. Een activiteit, besefte ik al vroeg, die bij mijn Zweedse vriendjes thuis helemaal niet leek voor te komen. Daar was het altijd rustig en prettig. Zij hadden ouders die zich op de achtergrond hielden en zich totaal niet bemoeiden met wat hun kinderen deden. Hooguit zeiden ze misschien 'hallo' wanneer je binnenkwam, maar verder leken ze volkomen zelfredzaam. Ze staken niet eens de gek met hun kinderen!

Geen wonder dus dat mijn zus en ik jaloers waren op onze niet-Joodse vriendjes en graag hadden gewild dat ons gezin wat meer op het hunne leek. Het jaloerst waren we waarschijnlijk met kerst. Dat leek het perfecte feest, een fantasie bijna. Stel je voor dat je een jaarlijkse traditie had waarbij je zonder dat je daar iets voor hoefde te doen, mocht snoepen en naar een tekenfilm mocht kijken. Mijn vader, die minder enthousiast was, zei altijd dat de christenen de geboorte van Donald Duck vierden. Maar we trokken ons van zijn ironie niets aan. Wij met ons chanoeka-feest, waarbij je kaarsen aansteekt om de zoveelste overwinning in de zoveelste Joodse vrijheidsoorlog te herdenken en het nog-al teleurstellende wonder dat ze met een beetje oude lampolie meer dan een week toe konden. We kregen weliswaar cadeautjes tijdens het acht dagen durende feest, maar in vergelijking met de berg kerstcadeautjes van onze vriendjes leek dat toch geen hoofdprijs. We hadden niet eens een Joodse Kerstman.

Bovendien stond het vieren van Chanoeka zo ver af van het feest van vrede en rust waar ik in die tijd het kerstfeest voor aan-zag. Want wanneer onze familie bij elkaar kwam, was het echt een heksenketel. Misschien niet bij de iets gereserveerdere fa-milie van mijn vader, maar wel aan de kant van mijn moeder. Toen ik klein was en alle generatiegenoten van mijn grootouders nog leefden, werden die feesten meestal bij mijn grootouders van moederskant in Hässelby gevierd. Het ging er altijd onge-veer hetzelfde aan toe. Op hun bovenverdieping stond een lange gedekte tafel, en rond die tafel zaten mijn ouders, hun broers en zussen en neven en nichten en een stelletje oude gekken. Het was een kabaal van jewelste. De mensen schreeuwden door elkaar, la-zen dingen voor in het Hebreeuws die niemand begreep en be-ledigden elkaar zowel in het Zweeds als in het Jiddisch en Duits.

Het was *mesjoega* dit en *Dummkopf* dat. Naar knoflook stinkende mannen met een Duits accent praatten door elkaar en hysterische vrouwtjes die als kippen zonder kop heen en weer draafden van de keuken naar de eetkamer met de ene portie nog groter dan de andere. Op deze feesten werden namelijk enorme hoeveelheden voedsel geserveerd. Er waren tientallen liters kippensoep met knoedels, gefilte fisj, gehaktbrood, challe, schnitzels, aardappelen en rodekool, om maar een paar van de gerechten te noemen die bliksemsnel op tafel werden gezet terwijl op de achtergrond steeds hetzelfde deuntje als een mantra werd herhaald: 'Je moet meer eten.' Een deuntje dat overbodig was in dit gezin, waar het bereiden van voedsel een daad van liefde was waartegen alleen het eten van grote hoeveelheden ervan opwoog.

Op deze feesten kwamen altijd dezelfde familieleden. Tante Hilde, die vals speelde bij het kaarten. Günter, die altijd ongetrouwd was gebleven en van wie oma Helga zei dat hij haar de oren van het hoofd at. Je had de altijd zo tevreden Kiewe, mijn dikke, lieve opa Ernst, diens broer Heinz en Heinz' blozende vrouw Ruth. Natuurlijk was mijn oma Helga er ook, misschien stond ze onder de afzuigkap een Pall Mall zonder filter te roken terwijl ze in een pan roerde en een nietsvermoedende voorbijganger vroeg wie toch die smerige rijst had gekookt.

Ik was het oudste kleinkind en ik begreep heel weinig van wat er gebeurde. Ik wist niet eens hoe ik familie was van al die mensen, of waarom ze zo raar deden. Hoewel ik daar pas veel later over na begon te denken. Als kind gebruikte ik al mijn energie om zo snel mogelijk mijn bord leeg te eten, om daarna de trap af te glippen en in alle rust oude *Donald Ducks* van mijn oom te lezen (om in ieder geval een beetje deel te hebben aan het christelijke kerstgevoel).

Dit vond echter allemaal langgeleden plaats en van de oudere generatie waarmee ik deze feesten vierde is, op oma Helga na, niemand meer in leven. De familie heeft daarmee een deel van haar pit verloren en is steeds Zweedser van aard geworden. Dus ik neem aan dat mijn zus en ik uiteindelijk hebben gekregen waar we om vroegen. In positieve en in negatieve zin.

Ik doe de balkondeur dicht en ga naar de keuken. Daar staat mijn vader een enorme stapel boterhammen te smeren. Voor hem liggen zestien sneden brood in acht keurige paren te wachten totdat ze een dubbele boterham mogen worden. Het mogelijke beleg ligt ernaast. Worst van de Lidl (honderd procent niet-koosjer), kaas en gesneden groente.

'Hoeveel willen jullie er?' vraagt hij en hij smeert de boter op een van de boterhammen uit tot aan de rand.

'Je hoeft voor mij niet te smeren,' zeg ik. 'Zo veel haast hebben we toch niet?'

'Hoeveel wil jij?' herhaalt hij.

'Ik weet het niet. Drie of zo.'

Mijn vader kijkt me met een duidelijk sceptische blik aan.

'Heb je daar echt genoeg aan?' vraagt hij. 'Terwijl je toch een grote eter bent.'

'Dat is genoeg,' zeg ik.

'Hoeveel moet Leo er?' vraagt hij.

'Dat weet ik niet.'

'Waar is hij trouwens?'

'Hij slaapt nog.'

'Nog steeds? Hoe lang moet die jongen eigenlijk slapen?'

'Hij is nogal laat naar bed gegaan, dus in ieder geval tot acht uur.'

'Dat kan niet,' zegt mijn vader. 'Over een uur moeten we weg zijn.'

Ik knipper een paar keer met mijn ogen, alsof ik de slaap eruit wil verdrijven.

'Kunnen we niet iets later vertrekken?' stel ik dan voor. 'Dan kan hij nog even doorslapen.'

'Ik wil niet te laat weg, heb ik toch gezegd? Ik ga nu de hond uitlaten, dan kun jij intussen je zoon wakker maken.'

Ik kijk mijn vader na terwijl hij de straat uit kuiert met zijn geliefde hond. In tegenstelling tot mij en mijn zus lijkt hij zich altijd thuis te hebben gevoeld in de buitenwijk. Wij waarschijnlijk nooit echt. Vermoedelijk omdat de volledig Zweedse omgeving ons eraan herinnerde hoe anders ons gezin feitelijk was. Maar we deden natuurlijk ons best om ons aan te passen. Vooral mijn zus, wier extreme streven de christelijke feesten te vieren alle verstand te boven ging. Want ze wilde niet alleen kerst vieren, ze wilde ook een boom hebben. Een wens die niet bepaald met open armen ontvangen werd wanneer mijn zus die elk jaar aan het eind van de herfst aan de rest van het gezin voorlegde.

'Komt niks van in,' zei mijn vader beslist.

'Absoluut niet,' zei mijn moeder even beslist.

Want kennelijk lag een kerstboom extra gevoelig. Zoals gezegd waren we verder niet erg praktiserend. We aten varken wanneer het zo uitkwam, met Pasen beschilderden we eieren en we waren aanwezig bij de afsluiting van het schooljaar in de kerk. Maar bij de kerstboom liep kennelijk een soort onzichtbare grens aan de bereidheid van mijn ouders om te assimileren. Mijn zus, dat moet ik haar nageven, gaf zich echter niet zomaar gewonnen.

'Toe,' zeurde ze door. 'Waarom mag ik geen boom? Iedereen heeft er een.'

'Wij zijn Joden,' zei mijn vader met nadruk. 'Wij hebben geen boom.'

'Een kleintje maar,' probeerde mijn zus.

'Een boom komt bij ons de deur niet in,' zei mijn moeder. 'Over mijn lijk.'

'Hij kan op het balkon staan,' zei mijn zus.

'Geen sprake van,' zei mijn moeder. 'Er komt hier geen boom. Punt uit.'

De discussie eindigde er gewoonlijk mee dat mijn zus iets gemeens schreeuwde en zo hard met de deur van haar kamer sloeg, dat je dacht dat de scharnieren eruit zouden vallen. Een signaal dat een onafhankelijke waarnemer van buitenaf de conclusie zou kunnen laten trekken dat de onderhandelingen daarmee beëindigd waren. Maar dat was echt niet het geval, want meteen daarna gebeurde het volgende:

1. Een vriendelijke buurman hakte (misschien aangemoedigd door mijn ouders) een kleine spar om bij zijn huisje op het platteland en gaf die aan mijn zus.

2.   Mijn zus zette de boom op haar kamer, versierde die
in christelijke stijl en legde haar cadeautjes eronder.

Dat had ze werkelijk goed gedaan. Maar ook al had mijn zus de
slag om de kerst gewonnen, zoals elk jaar, toch was ze niet tevreden. Nee, want nu wilde ze ook nog dat iedereen om de boom
zou dansen.
'Over mijn lijk,' zei mijn moeder.
'We zijn Joden,' zei mijn vader. 'We dansen niet om naaldbo-
men.'
'Toe nou,' probeerde mijn zus. 'Een klein dansje maar.'
Maar daar liep echt de grens. Want ook al waren we niet gelo-
vig, gingen we niet naar de synagoge en hadden we geen pijpen-
krullen, we dansten niet om bomen. Dus de enigszins droevige
afloop van het geheel was altijd dat mijn lieve zusje op eigen
houtje om haar boom danste, het ene rondje na het andere, terwijl ze haar liedjes over een vrolijk kerstfeest zong.

*

Nu, zo'n dertig jaar later, ga ik naar de kamer waar die steeds
terugkerende strijd om het kerstfeest plaatsvond en maak mijn
zoon wakker. Hij is compleet gebroken, maar weet zich uiteindelijk toch naar de keuken te slepen. Daar staat mijn vader,
terug van zijn recordsnelle wandeling, in sneltreinvaart zijn ge-
smeerde boterhammen op drie borden te laden.
'Hoeveel wil jij er, Leo?' vraagt hij.
Mijn zoon haalt zijn schouders op. Hij lijkt nog niet helemaal
wakker.
'Dan doe ik er drie,' zegt mijn vader. 'Je kunt maar beter goed
eten.'
Leo pakt een boterham en begint aan een hoekje te knabbe-
len.
'Wat heeft hij?' vraagt mijn vader bezorgd. 'Is hij ziek?'
'Hij zal wel moe zijn,' zeg ik.
'Ben je ziek, Leo?' vraagt mijn vader.
'Nee,' zegt mijn zoon geeuwend.

'Mooi,' zegt mijn vader. 'Dan kun je je boterhammen opeten. We moeten namelijk zo weg.'

Terwijl we daar uit alle macht ons ontbijt naar binnen zitten te stouwen, komt mijn moeder de keuken in, ze moet naar haar werk. Mijn vader maakt van de gelegenheid gebruik om zijn beklag bij haar te doen.

'Je kind en je kleinkind eten slecht,' zegt hij.

'O ja?' zegt mijn moeder. 'Dan moeten jullie een lunchpakket meenemen.'

'We hebben allebei al minstens drie dubbele boterhammen op,' zeg ik.

'Probeer nog iets te eten,' zegt mijn vader. 'Je weet nooit wanneer je weer wat krijgt.'

Maar dat weten we wel, want in onze familie krijg je zo'n beetje continu eten. En als je goed luistert naar wat er gezegd wordt, is het voor een geoefend oor bovendien mogelijk vast te stellen wanneer en hoe dat zal gebeuren. Je moet gewoon tussen de regels door leren lezen. Hier volgen enkele voorbeelden:

Wat de familie zegt	Wat dat betekent
'Je moet goed eten. Je krijgt straks een hele poos niets meer.'	'Straks krijg je een paar boterhammen met leverpastei en kaas, een paar wortels en een kop warme chocolademelk.'
'We krijgen in ieder geval geen toetje.'	'We krijgen ijs met bessen, en misschien een stuk appeltaart.'
'Jullie zijn van harte welkom, maar we hebben niets te eten in huis.'	'We hebben zo veel eten in huis dat we een belegering van drie maanden zouden kunnen doorstaan en toch nog aankomen.'
'Je moet meer eten.'	'Je moet veel en veel meer eten.'
'Je eet niets, ben je ziek?'	'Waarom heb je maar twee keer opgeschept, vind je mijn eten niet lekker?' en 'Neem nog wat.'
'Vind je het eten niet lekker?'	'Waarom heb je maar drie keer opgeschept? Hou je niet van me?' en 'Neem nog wat.'

En natuurlijk ook de vaak voorkomende frase: 'Het is wat aan de zoute kant, zeker?' waarop mijn vader altijd reageert met een uitspraak in de trant van: 'Ja, gisteren was het lekkerder,' waarop mijn moeder chagrijnig wordt, omdat het juiste antwoord, zoals iedereen weet, luidt: 'Het is lekker' (dat op zijn beurt wordt gevolgd door weer een aanmoediging om 'nog wat te nemen').

Maar deze codes gelden alleen voor mijn moeders kant van de familie. De codes van mijn vader heb ik, ondanks bijna veertig jaar proberen, nog niet helemaal weten te kraken. Dus ik neem het zekere voor het onzekere en neem nog wat, waarna ik bedank voor een vorstelijk ontbijt en naar eer en geweten zeg dat ik genoeg heb gehad, dat ik niet ziek ben en dat ik het absoluut de lekkerste boterhammen vind die ik in mijn hele leven gegeten heb. Dan is het tijd om te vertrekken, dus we zeggen mijn moeder gedag, lopen de deur uit en stappen in de auto.

'Daar gaan we dan,' zegt mijn vader. 'Op naar Polen.'

3

Drie mannen in een auto

Over vijfhonderd meter, sla links af.

De robotachtige stem die uit de telefoon voor in de auto komt, begint me zo langzamerhand op de zenuwen te werken. En dat terwijl we nog maar een paar kilometer hebben gereden.

'Slim ding, toch?' zegt mijn vader enthousiast. 'Hij stelt zich in naar hoe we rijden, en weet steeds de snelste weg. Als er bijvoorbeeld ergens een file staat, zoekt hij een andere, betere route.'

Ik werp een blik op het scherm van de telefoon waarop je de weg ziet waarop we ons bevinden en de weg die we in moeten slaan, maar meer ook niet.

'Kun je hem niet zo instellen dat we zien waar we zijn ten opzichte van waar we naartoe moeten?' vraag ik. 'Zo heb je geen idee.'

Mijn vader schudt zijn hoofd en richt zich tot mijn zoon, die vanwege zijn aanleg voor wagenziekte naast hem voorin zit.

'Je vader heeft geen verstand van dit soort mooie spullen,' zegt hij. 'Hij is echt iemand die alles bij het oude wil houden. Jullie hebben thuis niet eens tv.'

'We hebben een computer,' protesteer ik vanaf de achterbank, 'daar kun je tv op kijken. En ik wil weten waar we naartoe gaan. Niet zomaar blindelings de pijlen op een scherm volgen.'

'We gaan naar Karlskrona,' zegt mijn vader. 'Vandaar vertrekt de boot.'

'Dat weet ik wel. Maar we hebben geen sprekende telefoon nodig om daar te komen. Je hoeft alleen de E4 maar op te rijden, de

juiste afslag te nemen en de weg te volgen totdat we er zijn.'
'Precies, ja,' zegt mijn vader. 'We moeten de juiste afslag nemen. Daar hebben we dit programma voor. En bovendien is het
leuk. Toch, Leo?'
Mijn zoon mompelt iets onverstaanbaars bij wijze van antwoord. Hij is zo moe dat hij bijna slaapt en heeft waarschijnlijk
helemaal geen zin om zich in het debat te mengen.
'Wat mankeert hem?' vraagt mijn vader.
'Hij is moe,' zeg ik.
'Over honderd meter, sla links af,' zegt de robotstem.
'Kun je niet in ieder geval het geluid uitzetten?' stel ik voor.
Mijn vader schudt zijn hoofd even en slaakt demonstratief een
diepe zucht.
'Het is maar goed dat je kunstenaar bent,' zegt hij tegen mij,
'zodat de mensen je als progressief beschouwen en niet als reactionair.'
Onze auto nadert de kruising en mijn vader slaat links af naar
knooppunt Glädjen en de E4. Het is een mooie ochtend en ondanks ons gekibbel ben ik heel blij dat we hier zijn. Voor zover
ik weet is dit de eerste keer dat mijn vader en ik iets dergelijks
doen. Dat voelt goed. Om samen, met zijn drieën in een auto,
terug te reizen naar onze oorsprong in een poging terug te halen wat van ons is. Het is feitelijk een fantastische dag om een
reis te beginnen. Alles is rustig en stil, en het aangename ritme
wordt alleen verstoord door de metalen stem die ons om de zoveel tijd informeert hoe we moeten rijden. Maar dat zal ik wel
op de koop toe moeten nemen op een dag als deze.

We rijden in flinke vaart langs Sollentuna en Ulriksdal in de
richting van Solna, waar de ouders van mijn vader woonden
toen ik klein was. Ik vond het altijd leuk om op bezoek te gaan
in hun appartement in de Råsundavägen. Om de rozijnenpannenkoekjes te eten die mijn oma Sonja bakte, en bij opa Erwin
te zitten. In die tijd deden we veel samen. We gingen de eendjes
voeren in het Råstameer of we draaiden opera op hun grammofoon. Opa Erwin zong altijd mee. Hij had een mooie stem, donker en krachtig, en zijn blik werd altijd verlangend en een tikje

afwezig wanneer hij zong. Alsof hij eigenlijk ergens anders was. Het hoogtepunt van onze bezoekjes was echter wanneer opa en ik met de lift naar de kelder van de flat gingen om een potje te tafeltennissen. Dat deden we praktisch elke keer dat ik daar was, vanaf dat ik een klein jongetje was totdat ik een tiener werd. Mijn opa kon vrij goed tafeltennissen en eerst werd ik meestal ingemaakt, maar naarmate de jaren verstreken, werd ons spel steeds gelijkwaardiger. We speelden veel harde wedstrijden in die tafeltennisruimte, hij en ik, maar geen van alle komt ook maar in de buurt van de laatste. Een wedstrijd die ik nooit zal vergeten, ook al word ik honderd jaar.

Behalve van het tafeltennissen hield ik ook van de sfeer bij mijn grootouders thuis. Het was altijd zo rustig bij hen, niemand die zeurde, ruziemaakte of je beledigde als het niet nodig was. Integendeel, ze zeiden helemaal niet veel. Niets goeds en niets slechts. Maar daar dacht ik niet verder over na. Ik was nog maar een kind en de wereld en de mensen erin waren vanzelfsprekend zoals ze waren. Bovendien had ik wel iets beters te doen, zoals proberen de halters van mijn opa op te tillen of stiekem naar hem te kijken wanneer hij zijn geheel eigen, ietwat speciale, dutjesritueel uitvoerde.

'Zeg Leo,' zeg ik tegen mijn zoon wanneer we Solna passeren, 'weet je dat mijn opa Erwin altijd een middagslaapje deed met een onderbroek op zijn hoofd?'

'Waarom?' vraagt Leo.

'Niet de onderbroek die hij aanhad,' komt mijn vader tussenbeide. 'De onderbroek op zijn hoofd was altijd schoon.'

'Waarom?' vraagt mijn zoon.

'Niemand wil toch een vieze onderbroek op zijn hoofd? In mijn familie in ieder geval niet, maar misschien is dat bij jouw vader anders,' zegt mijn vader en hij kijkt me veelbetekenend aan. 'Van zijn onderbroek weet je nooit waar die terechtkomt.'

'Waarom had hij een onderbroek op zijn hoofd?' vraagt Leo.

'Waarschijnlijk om het donkerder te maken,' zegt mijn vader. 'Maar daar gebruikte hij niet altijd een onderbroek voor. Alleen wanneer er niets anders in de buurt was.'

'Deed hij dat ook toen jij klein was?' vraagt Leo.

'Jazeker. Hij hield elke dag siësta.'

'Met een onderbroek op zijn hoofd?' vraagt Leo.

'Een schone onderbroek,' verduidelijkt mijn vader. 'We waren ondanks alles een keurig gezin in die tijd. Daarna is er ergens iets misgegaan, gezien hoe je vader zich gedraagt. Je weet toch dat hij een keer zijn neus in het tafellaken heeft gesnoten toen we in een restaurant zaten te eten?'

'Dat was een servet.'

'Een stoffen servet,' verbetert mijn vader me. 'En die zijn bedoeld om je mond mee af te vegen. Niet om je neus in te snuiten. Denk je eens in hoe vies dat was voor degene die met jouw snot zat opgescheept.'

'Dat is niet mijn schuld,' zeg ik. 'Ik ben gewoon een product van mijn opvoeding.'

'Schuif de schuld niet af.'

'Dat is zo. Ik kom helaas niet uit zo'n keurig gezin als jij.'

Mijn vader draait zich om naar mijn zoon en werpt hem een gespeeld moedeloze blik toe.

'Weet je, Leo,' zegt hij, 'aan sommigen is een goede opvoeding niet besteed. Maar je hoeft je geen zorgen te maken; als je vader al te vies gaat doen, kun je altijd nog bij mij komen wonen. Heb je kauwgum, trouwens?'

Die heeft Leo. Een heleboel. Want volgens Leo behoedt die hem voor wagenziekte. Dus hij haalt de twee maxiverpakkingen tevoorschijn die we samen hebben gekocht en deelt uit, en daar zijn zijn reisgenoten even zoet mee.

Terwijl we kauwen, denk ik na over wat mijn vader heeft gezegd, en ik moet toegeven dat hij tot op zekere hoogte gelijk heeft. Want hij kwam uit een keurig gezin. Met goede manieren en omgangsvormen. Waar niet werd gepraat over dingen die als onplezierig of gevoelig konden worden ervaren. En dat is waarschijnlijk gedeeltelijk de reden waarom we zo weinig weten van wat ze hebben meegemaakt. We weten niet eens hoe mijn opa erin is geslaagd Zweden binnen te komen.

In een poging daarover meer te weten te komen heb ik voor onze reis een paar oude kennissen van hem gebeld. Maar die bleken ook niets van zijn verleden te weten. Mijn opa had het er gewoon niet over. En als hij het er wel over had gehad, zei een van de vrouwen met wie ik contact opnam, dan kon zij zich dat niet meer herinneren.

'Je moet goed begrijpen dat dit lang geleden was,' zei ze. 'Meer dan zeventig jaar. Toen we nog jong waren.'

Het grote probleem voor de Joden in die tijd was niet dat ze Duitsland moesten verlaten, want dat moesten ze. De nazi's hadden hun definitieve oplossing nog niet uitgewerkt en waren blij als ze van het 'ongedierte' af waren. Zolang ze hun bezittingen maar achterlieten en een visum voor een ander land konden laten zien. Het probleem was dat er geen land was dat hen wilde opnemen. Niet in de laatste plaats Zweden voerde een keihard vluchtelingenbeleid en stelde een reeks bureaucratische maatregelen op om de Joden buiten de deur te houden (zoals het opstellen van formulieren waarop pas aangekomen vluchtelingen moesten invullen of ze al dan niet van Arische afkomst waren). Bovendien waren wij een van de landen die het verst gingen met de J die alle Joden in hun pas gestempeld moesten krijgen. Een ingenieuze administratieve maatregel die het niet alleen makkelijker maakte om Joodse vluchtelingen aan de grens af te wijzen, maar die ook duizenden mensen het leven zou kosten. Het staat vast dat de politici en ambtenaren die achter deze procedures zaten de publieke opinie aan hun kant hadden. Want zodra een Jood probeerde hierheen te komen, stuitte hij op een compacte muur van weerstand, zoals de arts wiens verzoek om in 1934 in Zweden zijn beroep uit te mogen oefenen, ertoe leidde dat één op de drie Zweedse artsen de straat op ging om te protesteren. Zelfs de Joodse gemeente wilde ons hier niet hebben, omdat men bang was dat al te veel vluchtelingen een negatieve opinie zouden creëren ten opzichte van de Joden die al in Zweden woonden. Zo ongewenst waren we dat we onszelf niet eens wilden hebben.

Maar ondanks de weerstand doken er toch hier en daar kansjes op. Zoals na de Kristallnacht van 1938, toen Zweden, om zich van goedkope arbeidskracht te verzekeren, een honderdtal Joden toestemming gaf het land binnen te komen om een beperkte periode als landarbeider te werken.

Zo is mijn opa Ernst hier gekomen. En mijn opa Erwin hoogstwaarschijnlijk ook, aangezien die twee elkaar volgens opa Ernst
eind jaren dertig op het Skånse platteland zijn tegengekomen.
Ruim dertig jaar voordat hun kinderen, mijn vader en moeder,
elkaar op een dubbele date in Stockholm leerden kennen.

Hoe opa Erwin vervolgens in Stockholm is beland, weet ik
niet. Maar dat is wel gebeurd, en daar aangekomen heeft hij
mijn oma Sonja ontmoet. Van het een kwam het ander, mijn
oma raakte in verwachting en ze moesten trouwen. En in 1943,
terwijl de oorlog volop woedde, werd mijn vader geboren.

Ik weet niet of mijn opa toen de naam Isakowitz al in Wattin had veranderd, of dat dat vlak na de geboorte van mijn vader is gebeurd. Maar ik weet wel dat hij met argusogen keek
naar wat er in Duitsland gebeurde, en dat hij bang was dat de
Duitsers naar Zweden zouden komen. Misschien was dat de reden. Misschien veranderde hij daarom zijn achternaam en gaf
hij zijn eerstgeboren zoon de Zweedste voornamen die ooit aan
het kind van een Duitse Jood zijn toebedeeld: Hans-Gunnar.

4

Wie had dat gedacht?

Leo en ik doezelen wat terwijl mijn vader, begeleid door zijn geliefde telefoon, ons met vaste hand Stockholm en omliggende voorsteden uit loodst. Pas in Södertälje wordt de aangename sfeer in de auto verbroken door een luid en heel bekend geluid.

'Hè nee,' zegt mijn vader teleurgesteld.

Mijn zoon heeft een knetterende wind gelaten.

'Moet dat nou in mijn auto? Hij is nog bijna nieuw.'

Leo begint te giechelen, en ik ook. Dan begin ik luid te lachen. Ik kan het gewoon niet helpen.

'Je bent al net zo'n viezerd als je vader,' zegt mijn vader tegen mijn zoon.

'Het zit in de familie,' weet ik tussen de lachbuien door uit te brengen.

'Niet in mijn familie,' zegt mijn vader. 'Dat moet dan die van je moeder zijn.'

Daar heeft hij waarschijnlijk gelijk in, want mijn opa Ernst was de grote kampioen op dat gebied. Er ging bijna geen familiediner voorbij zonder dat hij zijn vaardigheden ten beste gaf. Gewoonlijk ging dat zo dat hij naar je toe kwam, een beetje leep glimlachte en daarna onschuldig vroeg of je aan zijn pink wilde trekken. Een klein gebaar dat in onze familie verbazingwekkend sterke gevoelens opriep.

'Papa, hou daarmee op,' zei mijn moeder bijvoorbeeld.

Maar daar trok opa zich niets van aan. Hij stak alleen zijn pink nog iets verder uit.

'Hier,' zei hij. 'En nu trekken.'

'Hou op,' zei mijn tante bijvoorbeeld. 'Moet dat nou altijd? Het is zo stom.'

'Hier,' zei mijn opa weer. 'Trek eens aan mijn pink.'

'Maar Ernst,' zei mijn oma bijvoorbeeld. 'Nou moet je toch ophouden.'

Maar opa hield niet op. In plaats daarvan stak hij zijn pink nog wat verder uit en dan trok je eraan, en dan liet hij een knetterende wind, zo hard dat het hele feest even stilviel en alle tantes met hun ogen rolden en alle mannen lachten. Dus het klopt inderdaad dat dat soort humor aan moederskant zit. En ook al is het niet zo geavanceerd, het is wel grappig. Gezien het enthousiasme van mijn zoon vermoed ik bovendien dat juist de truc met de pink een van de familietradities is die de grootste kans hebben om voort te bestaan. En dat is, denk ik, een gedachte waar opa blij om geweest zou zijn. Want hij was iemand die blij was om dat soort dingen. Een warme, genereuze en positieve man, die zo aardig was dat hij mij zelfs af en toe zijn eten gaf wanneer hij op me paste. Weliswaar was ik toen nog maar drie maanden oud en bestond het eten in kwestie uit gebakken aardappels, maar toch. Nou ja, mijn moeder was natuurlijk woedend over die streek. Maar opa zei alleen maar dat hij het sneu voor mij vond dat ik honger had, en bovendien, zo merkte hij op, vond ik aardappels lekker.

Verder werkte opa meestal. Als eerste van alle familieleden in Zweden begon hij een eigen bedrijf. Hij had in Duitsland een opleiding gevolgd tot radiotechnicus, en had ingezien dat hier iets ontbrak wat op andere plaatsen wel was. Dus sloot hij, ondernemer als hij was, een deal met het leger dat hij hun oude radio's mocht kopen en begon die vervolgens in auto's in te bouwen. Daar had nog niemand ooit van gehoord, dat je een radio in een auto kon hebben. En de reputatie van mijn opa's werk verspreidde zich snel, ook al werkte hij aanvankelijk gewoon op straat voor hun appartement in Hägersten. Later, toen de zaken begonnen te lopen, kocht hij een garage in Stockholm en begon personeel aan te nemen. Zijn grote probleem in die tijd was dat hij als stateloze Joodse vluchteling in Zweden geen bedrijf mocht voeren. Een dilemma dat hij oploste door een kennis te vragen of hij het gezicht van de activiteiten wilde zijn, wat op zijn beurt de reden was dat de eerste autoradiofirma niet Ernst Autoradio heette, maar Gordons. En hij deed het goed. Zo goed dat hij anderen uit de vriendenkring geld kon lenen om ook een eigen bedrijf te starten.

Net als mijn opa Erwin praatte opa Ernst niet over de tijd voordat hij naar Zweden kwam. Wanneer het onderwerp ter sprake kwam, zei hij altijd: 'Dat wil je niet weten.' En wanneer mijn moeder vroeg naar zijn kindertijd, antwoordde hij altijd dat hij die niet had gehad.

Zijn onwil en die van andere familieleden om te vertellen over wat ze hadden meegemaakt, maakten het lange tijd moeilijk om te begrijpen hoe de familie eigenlijk in elkaar zat. Maar toen gebeurde er iets. Toen al die Duitse mannen en vrouwen ouder werden, begonnen velen van hen voor het eerst over hun verleden te vertellen. Niet aan hun kinderen, dat was misschien te dichtbij, maar aan de volgende generatie. Aan mij. En toen ik een jaar of twintig was, ben ik bij iedereen langs geweest om hen over hun leven te interviewen. Mijn beide opa's waren inmiddels overleden, maar er bleken anderen te zijn die dingen over hen wisten. Zoals Heinz Kiewe, een oudere heer met een zwaar Duits accent en een bolvormige uitstulping in zijn hals. Kiewe, zoals we hem kortaf noemden, was altijd van de partij bij de familie-etentjes van opa Ernst en oma Helga, en ik mocht hem graag. Hij onderscheidde zich van de andere familieleden doordat hij zich nooit opwond, maar meestal zweeg en alles 'prima' vond.

Ik herinner me in het bijzonder een keer met Pesach, de viering van de uittocht uit Egypte die we jaarlijks ergens rond Pasen hielden. Dit was waarschijnlijk de plechtigste van alle plechtigheden die we samen vierden, en als volwassene kan ik de fantastische geschiedenis waarin die haar oorsprong vindt ten volle waarderen. Dit verhaal heeft immers alles: de weg van een volk uit de slavernij, mysterieuze profetieën, jongetjes die in het riet drijven, tien plagen, zeeën die zich delen, veertig jaar omzwerven door de woestijn en een beloofd land dat aan het eind wordt gevonden. Het is een klassiek drama en een onwaarschijnlijk verhaal dat zo hard is dat de meeste misdaadromans er tam bij afsteken. Dat vond ik als kind natuurlijk niet; toen voelde de plechtigheid meer als één lange plaag (de elfde). Maar daar was niets aan te doen, want met Pesach was er geen enkele mogelijkheid voor de jongere generatie om weg te glippen en zich te verstoppen. Je moest meedoen. Je moest gewoon door de zure appel heen bijten, je hagada pakken en met luide stem de vraag stellen waarmee het feest werd ingeluid: 'Wat is het verschil tussen deze avond en alle andere avonden?'

En daarmee had je de doos van Pandora geopend en een taai en onoverzichtelijk proces gestart van vijftien stappen, waarin je onder andere:

- een gebed uitspreekt over wijn
- bijna wijn drinkt
- nog een gebed uitspreekt, zonder precies te weten waarom
- zo'n klein slokje wijn drinkt dat je de smaak niet proeft
- leest over de uittocht uit Egypte in een taal die niemand aan tafel begrijpt
- iets te drinken inschenkt voor de profeet Elia voor het geval hij in Hässelby langs zou komen om over de komst van de Messias te vertellen
- je handen zo vaak wast dat je een buikoperatie zou kunnen uitvoeren zonder het gevaar te lopen een besmetting te verspreiden.

Pesach is feitelijk zo'n langdradige bedoening dat je, net als je voorvaderen in Egypte, bijna sterft van de honger. En nadat je nog een paar Hebreeuwse teksten hebt afgewerkt die niemand begrijpt, en je zo'n honger hebt dat je bijna aan het tafelkleed begint te knagen, wordt er een dienblad met eten binnengebracht. Denk je. Maar dat blijkt natuurlijk symbolisch voedsel te zijn, aangezien je met Pesach in plaats van feestelijke hapjes het lijden van het Joodse volk serveert. Dus je doopt peterselie in zout water om aan de tranen te denken, je kauwt op bittere kruiden om het lijden te gedenken en je eet ongerezen brood om eraan te denken dat je gist in brood moet doen. En dan haal je diep adem en je ontspant, want nu ben je thuis, en opeens valt de rest van het eten als manna uit de hemel. Er komt kippensoep en een schaal gefilte fisj, en al het andere waar je, aangemoedigd door kleine Joodse vrouwtjes, almaar meer van moet eten.

Midden in dat chaotische tafereel, omgeven door kibbelende, pratende en lachende mannen en vrouwen, zag je Kiewe in een hoekje zitten, rustig en cool als een standbeeld. Hij zag er echt apart uit. Behalve de uitstulping in zijn hals was zijn gezicht gedeeltelijk mismaakt, aangezien een paard hem had getrapt toen hij als landarbeider werkte. Maar wat de oude man in mijn ogen anders maakte, was niet zijn uiterlijk, maar het feit dat hij altijd zo tevreden was. Dat we eigenlijk geen familie waren, daar had ik geen idee van. Als kind in ieder geval niet. Ik weet niet meer wanneer ik voor het eerst besefte dat ik van bijna niemand van de oudere mannen en vrouwen die altijd bij mijn opa en oma kwamen familie was. Dat het een groep mensen was die samen uit Duitsland waren gevlucht en in Zweden een leven hadden opgebouwd. Kiewe was een belangrijk deel van die groep, maar hij was ook een schakel met de familie van mijn vader. Want de oude man met het bijzondere uiterlijk mocht dan wel plechtigheden hebben gevierd met mijn opa Ernst en oma Helga, hij was opgegroeid in Marienwerder in Oost-Pruisen, net als mijn opa Erwin. En hij zou veel over diens familie blijken te weten.

Kiewe leeft niet meer, maar ik heb hem geïnterviewd toen hij bijna negentig was en in een serviceflat in Farsta woonde. Hij had daar een kamertje met een keuken, dat meer weghad van een gevangenis dan van een woning. Vooral vergeleken met het rijtjeshuis dat hij en zijn vrouw hadden gekocht toen hij zestig werd, en dat hij altijd zijn 'paradijs op aarde' noemde. Maar het was fijn om hem te zien en hij was zo blij dat ik bij hem op bezoek kwam. Ik weet nog dat we even praatten en daarna met het openbaar vervoer naar een winkelcentrum gingen om te lunchen.

Kiewe heeft me die dag veel verteld. Dat zijn familie goed bevriend was geweest met de familie van mijn opa Erwin, en dat zijn vader altijd kaartte met mijn overgrootvader Hermann. Hij vertelde ook dat het huis van mijn familie midden in de stad stond, aan de Marktplatz – een groot plein geflankeerd door een kathedraal, een raadhuis en een heleboel Joodse winkels en warenhuizen. De familie van mijn opa verkocht heren- en kinderkleding en daar verdienden ze, dacht Kiewe, een goede boterham mee. Hun huis was groot en mooi en mijn opa en zijn broer en zussen hoefden niet te werken, maar mochten studeren. Mijn familie leek het gewoon goed voor elkaar te hebben in Marienwerder. In ieder geval totdat Hitler aan de macht kwam. Daarna werd het allemaal snel minder. Kiewe wist niet wat er met de familie Isakowitz was gebeurd, maar zijn eigen vader moest een speciale 'Jodenbelasting' betalen, waarna hij niet genoeg overhield om zijn zaak in stand te houden.

Zelf werkte Kiewe in die tijd in een herenmodezaak in Königsberg. Maar toen kwam de volgende klap. Er gebeurde iets door heel Duitsland, en dat moet mijn overgrootvader ongetwijfeld ook hebben getroffen.

'We hadden altijd veel klanten en veel werk,' vertelde Kiewe. 'Maar op een dag stonden de nazi's voor de deur en zeiden dat niemand bij ons mocht kopen omdat het een Jodenzaak was. En toen ging het niet meer.'

Kiewe was zelden ernstig, maar nu werd hij dat opeens wel.

'We hadden ons altijd Duits gevoeld. Ik was Duits. Mijn vader was Duits. Hij had voor Duitsland gevochten in de Eerste Wereldoorlog, van de tweede dag van de oorlog tot aan het einde. En toen was hij niet Duits meer. Wie had dat gedacht?'

Dit was iets wat Kiewe vaak zei wanneer de verschrikkingen die hij had meegemaakt ter sprake kwamen. 'Wie had dat gedacht?' Als een soort Kurt Vonnegut of Joseph Heller. Die man die altijd zo tevreden was en alles 'prima' vond, keek me nu vanaf de andere kant van het tafeltje ernstig aan.

'Het is hetzelfde als dat jij zegt dat je een Zweed bent. En dan komen ze je op een dag vertellen dat je dat niet meer bent. Zo ging het met ons. We waren Duits. Ik werkte in de herenkleding. Ik had geen benul van politiek of Palestina.'

Maar hij moet snel hebben bijgeleerd, want in 1937, vermoedelijk kort voordat mijn vader Marienwerder verliet, ging Kiewe naar een kibboetsachtige beweging in Zuid-Duitsland, waar hij als leerling-boer begon in de hoop dat hem dat een inreisvisum zou opleveren voor het beloofde land. En toen hij op een tuinderij werkte bij een schreeuwerige man genaamd Krautz, ontmoette hij mijn opa Ernst.

Ik denk vaak aan die dag met Kiewe in het winkelcentrum van Farsta. Aan hoe blij hij was dat ik, een onhandige, onervaren twintigjarige met ongevoelige vragen, met hem kwam praten. En dat hij zo tevreden was, hoewel hij een aantal keren alles had verloren wat hij bezat en waar hij van hield. Dat maakte diepe indruk op me. Dat zijn leven, ondanks alle verschrikkingen die waren gebeurd, toch 'prima' was.

*

In de auto is het ook prima. De ergste lachaanvallen na het ruftfeest van mijn zoon zijn over en we rijden met een lekker vaartje door naar Nyköping. Het plan is naar Söderköping te rijden en daar koffie te drinken voordat we de E22 nemen naar Karlskrona en vandaar de boot naar Gdynia.

Voor deze reis heb ik naspeuringen gedaan om erachter te komen waar we in Polen naartoe moeten. Mijn oorspronkelijke plan was vrij eenvoudig en hield in dat we zouden nagaan waar in Marienwerder mijn overgrootvader had gewoond om vervolgens een gedetailleerde kaart van de stad uit de jaren twintig te zoeken en daar de plek op aan te wijzen waar hij zijn schat zou hebben kunnen begraven. Daar viel niet heel makkelijk achter te komen, maar via via kwam ik in contact met een genealoog van het Joods Historisch Instituut in Warschau die ingescande oude adresboeken uit de streek had en die aan mij stuurde. Het was veel informatie om door te spitten en ik had eigenlijk niet veel hoop dat ik zou vinden wat ik zocht. Maar ik dacht dat als ik alle boeken goed doorlas, er in ieder geval een kleine kans bestond dat ik ergens op de naam van mijn overgrootvader zou stuiten.

Al ging ik er niet van uit. Helemaal niet. Dus wie schetst mijn verbazing toen ik, als eerste document, het adresboek van 1921 opende en dit op de voorkant aantrof:

Het was een advertentie voor de zaak van mijn overgrootvader. *Konfektionshaus* HERZ, *Inhaber: H. Isakowitz.* Met informatie over voorraden, speciale aanbiedingen, adres *und alles.*

5

Je kunt niet alles over
je kant laten gaan

'Denk je dat mama het erg vindt dat wij op reis gaan?' vraagt mijn vader ergens in de buurt van Norrköping.

'Die indruk kreeg ik niet,' zeg ik. 'Ze zei in ieder geval dat ze het fijn vond een tijdje alleen te zijn.'

'Dat zegt ze maar. Ze mist ons vast al.'

'Misschien,' zeg ik. 'Maar ze leek er niet zo blij mee dat ze voor je hond moest zorgen.'

'Hoezo?' zegt mijn vader. 'Qia is ook haar hond, hoor.'

'O?' zeg ik. 'Ik dacht dat ze zoiets had gezegd als dat er alleen "over mijn lijk" weer een hond zou komen?'

'Dat speelt ze maar,' zegt mijn vader. 'Ze is dol op Qia.'

'Echt waar?'

'Jazeker.'

'Dus ze vindt het helemaal niet vervelend om elke dag tussen de middag thuis te komen om een blaffend monster uit te laten?'

Mijn vader draait zich naar me om en steekt de wijsvinger op die hij altijd opsteekt wanneer hij iets extra vermanends gaat zeggen. Dat zou je zijn variant op de röntgenblik van Superman kunnen noemen.

'Je weet dat ik het niet goedvind dat je zo over je zus praat,' zegt hij. 'Je mag haar niet anders behandelen omdat ze zwart is.'

'Of een hond,' zeg ik.

'Precies,' zegt mijn vader. 'Dat is discriminatie.'

We rijden in stilte verder. Meteen na de afslag naar Söderköping piept de telefoon van mijn vader. Hij pakt hem op en leest het binnengekomen bericht.

'Dat was mama,' zegt hij. 'Jullie krijgen de groeten. Ik hoop echt dat ze een beetje tot rust komt nu wij weg zijn. Ze heeft het zo druk, met de operatie van haar moeder en alles.'

Dat is niet overdreven. Oma Helga neemt steeds meer van mijn moeders tijd in beslag, nu ze de afgelopen maanden bijna totaal afhankelijk is geworden van de hulp van haar kinderen. Het is vreemd om te zien hoe deze oerkracht van een vrouw geleidelijk steeds zwakker wordt. Ik had nooit gedacht dat dat zou gebeuren, ook al is ze nu bijna negentig. Want mijn oma is een overlever in de ware zin van het woord. Ze heeft de Holocaust, kanker en al haar oude vrienden overleefd. En ze is echt een ouwe taaie. Ze is maar één meter vijftig lang en weegt nauwelijks veertig kilo, maar laat je daar niet door misleiden. Want dit kettingrokende dametje kan, ondanks haar leeftijd en vogelachtige lichaam, nog steeds iedereen de les lezen die iets doet wat zij mesjoega vindt. Zoals:

- kleinkinderen die naar haar smaak te veel make-up gebruiken ('Je lijkt wel een prostituee.')
- vriendinnen van kleinkinderen die te weinig zout in het eten doen ('Wie heeft deze flauwe hap gekookt? Er zit geen kraak of smaak aan.').

Bovendien is mijn oma uitzonderlijk goed in het opbellen van familieleden die net een kind hebben gekregen, om hun te vertellen hoe stom ze zijn. Dat deed ze bij de geboorte van alle drie mijn zonen. Toen het mijn eerste kind, Leo, betrof, had ze niets te klagen over zijn naam, aangezien haar vader ook zo heette. Maar ze had er wel een mening over dat we hem bij ons in bed lieten slapen.

'Dat moet je niet doen, Danny,' zei ze. 'Dat is belachelijk.'

'Ja,' antwoordde ik, omdat dat het makkelijkste was.

'Waarom ben je zo *doof*?' ging ze verder. Dat is een Duits woord dat ze altijd gebruikt wanneer iets bijzonder idioot is.

'Hoezo,' zeg ik. 'Dat is toch niet...'

'Je mag het jongetje niet bij jou laten slapen,' herhaalde mijn oma. 'Luister naar me. Ik heb een diploma kinderverzorging.'

Dit is een van de dingen waar mijn oma mee schermt als ze haar argumenten extra kracht bij wil zetten, en als ik heel eerlijk moet zijn, geloofde ik dat niet helemaal. Net zoals ik eraan twijfelde of zij de pannenkoekentaart wel echt had uitgevonden, wat ze bij elke verjaardag van een familielid weer beweert. Maar ik had geen puf om te kibbelen en beloofde daarom, met mijn vingers gekruist, dat mijn zoon een eigen bed zou krijgen.

Toen mijn tweede kind geboren was, belde ze weer. Ditmaal waren het echter niet de slaapgewoonten waar ze zich in de eerste plaats aan ergerde.

'Hoe kunnen jullie dat doen?' vroeg ze verontwaardigd.

'Hè?' vroeg ik.

'Jullie kunnen hem niet zo'n naam geven. Hoe kunnen jullie zo doof zijn?'

'Hè?' zei ik weer.

'Een dierennaam.'

'Een dierennaam?'

'Dingo. Hoe kunnen jullie hem Dingo noemen? Dat is toch een hond?'

'Hij heet geen Dingo,' zei ik.

'O nee?'

'Hij heet Mingus.'

Het werd even stil en toen zei oma: 'Wat is dat nou weer voor een naam? Het klinkt bezopen.'

Maar als ze verontwaardigd was toen mijn twee oudste zonen geboren waren, dan was dat nog niets in vergelijking met de komst van mijn derde. Toen kon ze haar oren niet geloven.

'Hoe heet het jongetje?' vroeg ze.

'Moses,' zei ik.

'Och nee,' zei ze verontwaardigd. 'Wat verschrikkelijk. Hoe kunnen jullie dat doen?'

'We vinden het een mooie naam.'

'Och nee,' zei ze weer. 'Heet hij echt zo?'

'Ja.'

'Wat verschrikkelijk,' herhaalde ze. 'Je moet niet zo doof zijn, Danny.'

'Wij vinden het een mooie naam,' zei ik weer.

Het was even stil, wat niet vaak voorkomt als je mijn oma aan de telefoon hebt, en daarna begon ze weer van voren af aan, alsof wat ik had gezegd zo stompzinnig was dat het er bij haar niet in wilde.

'Maar hoe heet het jongetje?'

'Moses,' zei ik.

'Echt?'

'Ja,' zei ik.

'Och nee, Danny. Dat mogen jullie hem niet aandoen. Dat mag gewoon niet.'

U begrijpt natuurlijk wel dat de hebbelijkheid van mijn oma om precies te zeggen waar het op staat en wat ze van mensen vindt nogal vermoeiend kan zijn. Maar er zitten ook voordelen aan. Want welk ander klein vrouwtje zou nu zonder een seconde te aarzelen op een grote skinhead aflopen om hem eens flink de waarheid te zeggen? En dat had mijn oma gedaan, vertelde ze toen ik een paar jaar geleden bij haar op bezoek was in Hässelby. Zoals gewoonlijk zat ze een kruiswoordpuzzel te maken en rookte ze loeisterke Pall Mall-sigaretten zonder filter. Dat was vaste prik. Hier in het appartement, en bij ons thuis onder de afzuigkap (ondanks mijn moeders herhaalde en hevige protesten).

'Hij spuugde op straat, en toen zei ik tegen hem dat hij daarmee moest stoppen,' vertelde mijn oma.

'En toen?' vroeg ik.

'Hij zei: "Rot op, stom wijf."'

'En heb je dat gedaan?'

Mijn oma nam een trekje en tikte as af in haar asbak, waarin onder het glas van de bodem een foto van mijn opa zat.

'Nee,' zei ze toen. 'Ik zei: "Rot zelf op, stomme vent."'

Ze keek me aan, inhaleerde diep en blies de rook uit.

'Je kunt niet zomaar alles over je kant laten gaan. Je moet ze op hun bek slaan.'

Dat was ook de opvatting die Heinz en Georg, de broers van mijn opa Ernst, eropna hielden. Als tieners gingen ze bij een semi-militaire organisatie om de nazi's te bestrijden. Het verbaasde me toen ik dat hoorde, aangezien in ieder geval Heinz me geen agressief type leek. Hij was juist altijd zo rustig en meegaand, en was het in alles wat zijn vrouw Ruth zei en deed met haar eens. Dat dacht ik in ieder geval totdat ik, jaren na zijn dood, een oud cassettebandje vond waarop hij over zijn leven vertelde.

'We oefenden met wapens en vochten tegen de nazi's in grote straatgevechten,' zegt hij op het bandje. 'Dat leek ons het enige wat je kon doen. Tegen zulke lieden helpt geen praten. Dat vond ik toen en dat vind ik nog steeds, geweld kun je alleen met geweld beantwoorden.'

Ook al ben ik nogal bang voor conflicten, ik had het fijn gevonden als er een soortgelijke verzetsbeweging had bestaan waarmee ik in mijn jeugd tegen de neonazi's had kunnen vechten. Want daar waren er in die tijd een heleboel van in de buitenwijken van Stockholm. Jongemannen met kale koppen die in bendes rondtrokken, bier dronken en overal hakenkruisen tekenden. Ik was als de dood voor ze. Waarschijnlijk speelde daarbij mee dat ik was opgegroeid met de verhalen van mijn familieleden die hadden gezegd dat die lui niets van je heel lieten als ze erachter kwamen dat je Jood was. Dus hield ik mijn mond over wie ik was, in de hoop dat geen van de neonazi's lucht zou krijgen van mijn achtergrond. Ik zweeg wanneer mensen op school Jodenmoppen maakten. Ik zweeg wanneer ze *Sieg Heil* riepen. En ik zweeg wanneer ze de Hitlergroet brachten. En in plaats van terug te slaan maakte ik van mezelf steeds meer een soort kameleon in de hoop dat niemand zou kunnen zien dat ik Jood was.

Wie weet was het anders geweest als ik een club zielsverwanten had gehad om mee op te trekken, of ten minste een Joodse samenzwering om lid van te worden. Maar zelfs die was er niet, en alle mogelijkheden om er zelf een in het leven te roepen verdwenen toen het tweede potentiële lid van deze samenzwering, mijn half-Joodse neef Martin, naar Täby verhuisde.

Dus in plaats van te vechten tegen de onderdrukkers en de wereldeconomie te manipuleren, besteedde ik mijn dagen aan pogingen op te gaan in de voorstadachtergrond. Ik cijferde mezelf nogal weg in mijn leven. Was op zijn minst mijn oma Helga maar bij me geweest, dan hadden de neonazi's uit moeten kijken. In ieder geval in de goede oude tijd toen ze iedereen de stuipen op het lijf kon jagen. Maar ondanks al haar stoerheid is het nu duidelijk dat ze steeds zwakker wordt. Het is raar om daar getuige van te zijn, want op de een of andere manier ben ik er altijd van overtuigd geweest dat mijn oma eeuwig zou blijven leven. Doodgaan past niet bij haar, net zoals kort haar sommige mensen niet staat. Maar als de Dood ooit zo veel moed verzamelt dat hij een één-op-ééngevecht met haar aandurft, en als er een leven na dit leven is, dan kan ik één ding garanderen: ze krijgen hun handen vol daarboven. Ik kan het bijna voor me zien, hoe mijn oma daar in alle rust onder Gods afzuigkap staat en de ene Pall Mall zonder filter na de andere rookt. En hoe de schepper van het universum als het ware bij zichzelf mompelt en zijn kaken spant, en het daarna gewoon opgeeft en haar laat begaan. Wanneer hij, net als mijn ouders, inziet dat hij tegen zo'n stoer wijfie niets kan beginnen.

*

Beneden op aarde, in een auto die in zuidelijke richting rijdt, vervolgen mijn vader, mijn zoon en ik onze tocht naar Polen. Het schiet nu goed op en om halfelf zijn we in Söderköping, waar we, ondanks de duidelijke protesten van de sprekende telefoon, van de hoofdweg afslaan om even de benen te strekken.

6

Seks en geweld

We parkeren de auto en kuieren naar het kanaal, waar een hele rij schepen ligt te wachten om naar de Oostzee gesluisd te worden. Een vrij treurig gezicht, vind ik, maar mijn vader is helemaal verrukt bij de aanblik.

'Ongelooflijk,' zegt hij. 'Toch?'

'H-mm,' zegt Leo, zonder veel enthousiasme te tonen.

'Gewoon fantastisch,' gaat mijn vader verder. 'Niet dan?'

Maar mijn zoon lijkt niet meer te luisteren. Hij volgt met zijn blik de traptreden die aan de overkant van de sluis tussen een paar bomen door leiden, een heuvel op.

'Ik vind het echt indrukwekkend dat ze dit hebben kunnen bouwen. Moet je die sluisdeuren zien.'

'Kunnen we daar omhoog?' vraagt Leo en hij wijst naar de heuvel aan de andere kant.

'Ja, dat kunnen we doen,' antwoord ik.

'Maar niet nu,' zegt mijn vader. 'Jullie moeten wachten tot ze klaar zijn met schutten.'

'Moet dat?' vraagt Leo.

'Natuurlijk moeten jullie dit zien,' antwoordt mijn vader. 'Dat is leuk. Vraag maar aan je vader. We zijn door het Götakanaal gevaren toen hij klein was. Tweeënvijftig sluizen. Het was een fantastische reis.'

'We hadden de hele tijd ruzie,' zeg ik.

'Nee, dat geloof ik niet.'

'En jij zat mama op te jutten in die enorme sluis, je zei dat ze met een touw tussen haar tanden een tien meter hoge brandladder op moest klimmen.'

'Ja, maar dat was bij de eerste sluis. In Trollhättan. Dan is iedereen nog een beetje zenuwachtig. Kijk, Leo, nu gaan ze schutten.'

Voor ons gaat de ene deur open en een voor een varen de schepen het kleine bassin binnen, waar ze vervolgens keurig rustig aanleggen. Dit is per slot van rekening het laatste stukje van het kanaal en de meeste schippers lijken het sluizen inmiddels goed onder de knie te hebben.

'Mooie boten,' zegt mijn vader en hij wijst naar een monsterlijk grote zeilboot die voor ons in het kanaal is komen liggen. 'Zo'n boot mag je voor me kopen wanneer je rijk en beroemd bent.'

'Je hebt al drie boten.'

'Een ervan is van mama. En het zou niet zo gek zijn er nog eentje bij te hebben waarin je kunt overnachten. Maar dan moet je eerst een bestseller schrijven om dat te kunnen betalen.'

'Wat een goed idee. Dat was nog niet bij me opgekomen,' zeg ik ietwat spottend, omdat dit, geloof het of niet, een voorstel is dat je nogal vaak hoort als je boeken schrijft. Maar dat weet mijn vader natuurlijk niet, en hij lijkt een tikkeltje geïrriteerd te raken.

'Doe niet zo vervelend,' zegt hij. 'Ik probeer je alleen goede raad te geven. Het kan geen kwaad om af en toe te luisteren naar wat je vader te zeggen heeft.'

'Ja, ja. Wat zou ik volgens jou dan moeten doen?'

'Om te beginnen moet je ophouden met dat ironische en intellectuele gedoe. Zoals jij schrijft, word je pas na je dood bekend.'

'O, en hoe moet ik dan schrijven?'

'Je weet wat ik heb gezegd,' antwoordt mijn vader. 'Als je wilt dat je boeken verkopen, moet je er meer seks en geweld in stoppen.'

'Denk je echt dat het zo simpel is?'

'Zoals die Stieg Larsson. Er moet een man in voorkomen die met alles wat hij ziet naar bed gaat en een vrouw die motorrijdt en een beetje lesbisch is.'

'Hoezo een béétje lesbisch?'

'Nou, niet zo erg dat ze niet met de hoofdpersoon naar bed wil. En dan kunnen haar een heleboel krenkingen worden aangedaan waarvoor ze gewelddadig en bloedig wraak kan nemen. Dan zullen de mensen zeggen dat het gaat over de strijd tegen de onderdrukking van de vrouw en dan noemen ze het geen schunnige orgie van vunzigheid waarbij geweld tot vermaak dient. Net als dat iedereen applaudisseert en van een feministische verzetsdaad spreekt wanneer vrouwen een pornofilm maken.'

'Ja,' geef ik toe. 'Daar zit misschien wel iets in.'

'Hoezo misschien?' zegt mijn vader. 'Dat ís zo. Als je boeken wilt verkopen, moet er meer seks en geweld in. Dat is gewoon zo. Zijn er nog meer dingen die je vader je moet vertellen?'

Voor ons gaat de sluisdeur dicht en het waterpeil begint langzaam te dalen. En daar staan we, met zijn drieën naast elkaar, te kijken hoe de boten netjes en elegant door het bassin bewegen. Daarna gaat mijn vader in een cafeetje zitten, terwijl Leo en ik de heuvel aan de andere kant van het kanaal beklimmen. Het pad loopt door een klein bos en we rennen de steile treden op, een voor een, totdat de boten beneden kleine speelgoedbootjes lijken.

'Dit is leuk,' zegt Leo. 'Kunnen we nog hoger klimmen?'

'Dat weet ik niet,' zeg ik. 'Ik wil opa niet te lang laten wachten.'

'Nog een klein stukje,' vraagt mijn zoon.

Hij ziet er zo verwachtingsvol gelukkig uit dat ik toegeef en we nog een klein stukje verdergaan. Ik ben zo blij dat hij bij me is op deze reis en zo dankbaar dat de band die we hebben zo eenvoudig en ongecompliceerd is. Dat zal niet altijd zo blijven, dat begrijp ik wel, dus het is zaak ervan te genieten zolang het kan.

We klimmen nog vijf minuten en dan verklaar ik dat het tijd is om terug te gaan.

'Moet dat?' vraagt mijn zoon.

'Ja, dat moet,' antwoord ik. 'Maar we kunnen terugkomen als we de schat hebben opgehaald, om dan nog wat verder te klimmen.'

Daar gaat Leo schoorvoetend mee akkoord en we beginnen

aan de afdaling. Dat gaat vlot. Mijn zoon rent voor me uit en springt de trap af op de soepele benen die je hebt als je jong bent en iets doet wat je zo leuk vindt dat je er eindeloos mee door kunt gaan.

We zijn al snel weer op de begane grond en na even zoeken vinden we mijn vader, die in een superkitscherige ijssalon zit achter een gigantische beker koffie (met opgeschuimde melk, ijs en mintchocolade). Zo'n soort tentje, waarvan de stijl mijlenver af staat van de minimalistische snijkameresthetiek van espressobars, heb ik lang niet gezien. De ijsdrankjes die je hier kunt bestellen zijn zo groot dat ik me even afvraag of we niet terug zijn gereisd door de tijd naar het Alicante van de jaren tachtig of naar de Italiaanse kuststad Riccione, waar de ouders van mijn vader zo dol op waren. Ik heb een heleboel souvenirs die ze daar ooit hebben gekocht, en toen ik zo oud was als mijn zoon nu mocht ik een keer met hen mee daarnaartoe. Ik weet nog dat ik het net een droom vond. Overdag waren we op het strand, waar mijn opa in zijn blote bast rondliep en zijn spieren spande, terwijl oma lag te zonnebaden totdat ze wel een rimpelig speculaasje leek. 's Avonds flaneerden we over de boulevard en zaten we op een terrasje ijs te eten en mensen te kijken. We waren al met al heel beschaafd. Want dat was belangrijk voor mijn oma. Dat je je netjes gedroeg, dat je geen dingen zei die als ongepast konden worden beschouwd en dat je nadacht voordat je je mond opendeed.

Ook al staat mijn eigen gedrag, als je mijn vader mag geloven, ver af van de standaard van oma Sonja, toch konden we het heel goed vinden samen. Zij was waarschijnlijk de grootouder die mij het meest na was, en die mij als eerste nieuwsgierig maakte naar de wereld buiten Zweden. Want oma Sonja reisde graag en stuurde me ansichtkaarten van elke plaats die ze bezocht. Ik zal in de loop der jaren een stuk of vijftig kaarten hebben gekregen. Het was altijd spannend wanneer er een in de brievenbus viel. Niet vanwege de tekst, want ze schreef altijd hetzelfde: hoe warm het was, wat ze aten en dat ze ons miste. Het spannende, dat waren de postzegels; die waren anders, en de exotische motieven maakten mij duidelijk dat er nog een hele wereld buiten Zweden bestond. Een wereld die heel anders was dan de mijne, en die ik al gauw wilde gaan ontdekken.

Maar ook al brachten we tamelijk veel tijd door samen, ik wist in feite niets van haar. Niet dat ze als vluchteling naar Zweden was gekomen en ook niet dat ze, net als mijn oma Helga, het grootste deel van haar jeugd in Berlijn had doorgebracht. Ik was me er niet eens van bewust dat ze een zwaar Duits accent had. Dat besefte ik pas toen ik als tiener de opgenomen mededeling op haar antwoordapparaat hoorde. Bepaalde dingen wist ik wel, zoals dat de moeder van oma Sonja Selma heette en dat haar vader Isak veruit de meest religieuze persoon in onze familie was. Alle anderen waren geassimileerde stadse Joden, die wel de feesten vierden, maar de rituelen die het leven moeilijker zouden hebben gemaakt oversloegen. Maar Isak niet, die zo streng in de leer was dat hij jarenlang niet bij mijn grootouders op bezoek wilde gaan omdat ze hun kinderen niet hadden laten besnijden.

In tegenstelling tot de rest van de familie kwam de vader van oma Sonja niet uit Duitsland, maar uit een gebied in Polen dat Suwałki heette. En ruim een halfjaar voordat we aan deze reis begonnen, organiseerde het Joodse centrum in Stockholm een lezing over immigratie juist vanuit die streek. Ik dacht dat het een uitstekende gelegenheid kon zijn om twee vliegen in één klap te slaan: meer informatie krijgen over de oorsprong van de familie en tegelijkertijd de kans krijgen om fijn als mannen onder elkaar met mijn vader op te trekken.

Het centrum in de Nybrogatan waar de lezing werd gehouden is verder een plek waar ik mij verre van had weten te houden sinds ik een heleboel jaren geleden mijn bar mitswa had gedaan. Hier volgden mijn zus en ik Joodse godsdienstlessen. Ik neem aan dat mijn ouders, ondanks alle assimilatie, in hun hart moeten hebben gewild dat we echte Joden zouden worden. Waarom zouden ze anders de moeite hebben genomen ons er elke maandag naartoe te brengen? Vooral omdat noch ik noch mijn zus erheen wilde. Feit is dat we aan bijna alles wat met die godsdienstlessen te maken had een hekel hadden: aan het

Hebreeuwse alfabet waar je doorheen moest ploeteren, aan de oude verhalen over heroïsche vrijheidsoorlogen die je moest leren en aan hysterische volksliederen die hysterische vrouwen je hysterisch lieten zingen. Bovendien voelde ik me een complete buitenstaander in dit gezelschap. Meer dan in Väsby. Want de Joden in Stockholm lieten niemand in hun gemeenschap toe. Misschien kunnen de mensen die in een Joodse samenzwering geloven hieruit opmaken dat de Joden uit de voorsteden daar niet aan mee mogen doen.

Maar het maakte niet uit wat ik vond of hoeveel verzet ik bood. Mijn ouders waren bikkelhard. Ik moest Jood worden of ik dat wilde of niet. En ze zeiden dat ik, als ik naar het centrum ging totdat ik mijn bar mitswa had gedaan, daarna zelf mocht bepalen of ik door wilde gaan. Dus ik deed wat ze zeiden en ging eerst naar de lessen en daarna, toen ik wat ouder was, naar een rabbijn die mij moest voorbereiden op mijn reis naar de Joodse volwassenenwereld. Dat ging zo: hij gaf mij een Hebreeuwse tekst om uit mijn hoofd te leren en een lied om te oefenen. Vervolgens verbeterde hij mij wanneer ik de verkeerde melodie zong of een lettergreep beklemtoonde op een manier die hem niet aanstond. En zo waren we bezig totdat ik eindelijk dertien werd en naar de synagoge ging om met behulp van piepkleine spiekbriefjes mijn bar mitswa te doen – en daarna zei deze voorstad-Jood aju paraplu tegen het Joodse centrum.

Bij het laatste bezoek van mijn vader en mij was het, afgezien van de verplichte chagrijnige beveiliger, een stuk gezelliger in het centrum. Er hing een geweldige sfeer in de zaal. Daar zaten mannen die gekscherende beleefdheden uitwisselden en een rij kleine vrouwtjes die door elkaar heen praatten en de arme spreker continu in de rede vielen om te vertellen hoe het nou echt zat. Er waren ook veel bekendheden. Het bleek namelijk dat zo'n beetje alle Joden die aan het eind van de negentiende eeuw naar Zweden waren gekomen uit hetzelfde kleine gebied in Polen kwamen als de vader van mijn oma Sonja. En in het vertrek bevonden zich beroemde vertegenwoordigers van zowel de Wolff- als de Pagrotskyclan.

49

In tegenstelling tot die families was Isak, de vader van mijn oma Sonja, niet rechtstreeks naar Zweden gekomen, maar eerst, op zijn zestiende, naar Noorwegen gegaan. Volgens de documenten die ik had gevonden, dreef hij jarenlang handel in ons buurland, totdat hij in 1918 in de gevangenis werd gezet voor smokkel en daarna uitgewezen. Toen ging hij naar Rusland, kreeg een Russisch paspoort en wist een visum voor Zweden te bemachtigen. Hier ontmoette hij vervolgens zijn Selma en met haar kreeg hij de dochter die mijn oma Sonja zou worden. Met de verlenging van zijn verblijfsvergunning bleek het heel moeilijk gesteld, waarbij het zeker geen voordeel was dat Isak kennelijk gewend was de wet te overtreden. Hij werd vijf keer veroordeeld wegens illegale marskramerij, en in januari 1922 moest hij Zweden ten slotte verlaten en verhuisde hij met zijn gezin naar Berlijn.

Mijn oma Sonja is al jaren dood, maar haar jongere zus heeft verteld over hun jeugd in Duitsland. Hoe ze genoten van het leven dat ze daar hadden en dat ze, hoewel ze merkten dat de Joden steeds slechter behandeld werden, hun prachtige stad niet wilden verlaten. Maar toen kwam de Kristallnacht van 1938 en alles werd anders.

'Als ik nu in Berlijn kom, drieënzeventig jaar later,' vertelde ze toen we elkaar de laatste keer troffen, 'hoor ik nog steeds het geluid van brekend glas.'

Dat was de nacht waarin ze de etalages van Joodse winkels insloegen, synagogen in brand staken en Joodse mannen naar concentratiekampen brachten. Isak had geluk en ontkwam daaraan omdat hij niet thuis was toen de nazi's hem kwamen halen.

Die gebeurtenis, vertelde de zus van mijn oma, schudde de Joden die nog in de stad waren wakker. 'We beseften dat we moesten vertrekken, hoe lief Berlijn en het leven dat we daar hadden ons ook waren. Dat begreep iedereen.'

Dat was gemakkelijker gezegd dan gedaan. Mijn oma en haar moeder, die beiden in Zweden geboren waren, konden wel terugkeren. Maar Isak en de jongere zus van mijn oma kregen geen inreisvisum. Waarschijnlijk kwam dat ten dele doordat de Joodse gemeente er heel negatief tegenover stond om hen het land in te laten en het ministerie adviseerde de aanvraag van het gezin af te wijzen. Uiteindelijk werden ze gered door de politici. De ooms van mijn oma waren lid van de Folkpartiet en slaagden er met veel pijn en moeite in hun partij over te halen ervoor te lobbyen dat het gezin Zweden binnen zou mogen.

'De familie stond ons met pakjes brood op te wachten toen we kwamen,' vertelde de zus van mijn oma. 'Ze dachten dat er geen eten was in Berlijn. Het was bijna grappig. Want daar was alles. Alles wat hier niet was.'

Mijn oma Sonja was negentien toen ze hier kwam en volgens haar zeven jaar jongere zus was het voor hen allebei een moeilijke tijd. Enerzijds omdat ze bang waren dat de Duitsers zouden komen en anderzijds omdat het moeilijk was om hier vrienden te maken. In ieder geval onder de Zweden. Misschien kunnen de mensen die in een Joodse samenzwering geloven hieruit opmaken dat er dan ook een Zweedse samenzwering moet zijn.

Na de oorlog vond mijn oma's zus dat in ieder geval het ergste. De eenzaamheid en hoe moeilijk het was om een nieuwe gemeenschap te creëren. Daarom werden Sonja en zij actief in het Joodse verenigingsleven. Niet omdat ze per se met Joden wilden omgaan, maar omdat het de enige manier leek om in contact te komen met leeftijdgenoten.

Tegelijkertijd waren ze natuurlijk dankbaar, omdat ze in tegenstelling tot veel van hun vrienden Duitsland hadden kunnen verlaten. Maar het was geen gemakkelijk afscheid. De heimwee naar het thuisland was en is nog steeds groot. Ondanks alle tijd die is verstreken.

'Ook al ben ik vijfentachtig, ik mis Berlijn nog steeds. En ik denk vaak aan hoe het geweest zou zijn als er geen Hitler en geen oorlog waren geweest, en we daar hadden kunnen blijven wonen. Dat was geweldig geweest, want het was zo'n levendige, bruisende stad. En we hadden veel fijne vrienden.'

Ik begrijp heel goed wat ze bedoelt. Want het is niet gemakkelijk om hier in contact te komen met andere mensen, zelfs voor ons niet, terwijl wij in Zweden geboren zijn. Waarom dat zo is, weet ik niet, maar het houdt me de laatste tijd nogal bezig. Waarom zijn er in dit welvarende land zo weinig mensen die oprecht geïnteresseerd zijn in anderen? Hebben we zoveel op ons programma staan dat we er geen tijd voor hebben? Zijn we te verlegen? Lijden we aan een nationale vorm van asperger? Of kan het ons gewoon niet schelen? Ik weet het niet. Maar raar is het wel dat er volkeren zijn die zo voorzichtig en achterdochtig zijn in hun dagelijkse omgang met elkaar. Die hun diepste gedachten en gevoelens geheimhouden, zodat niemand in hun omgeving weet wie ze eigenlijk zijn. Nee, het is een geluk voor ons Zweden dat de mens Facebook heeft uitgevonden, zodat we in ieder geval een kader hebben waarbinnen we op georganiseerde wijze uiting kunnen geven aan onze persoonlijkheid.

Al heb je daar wel bepaalde technische apparatuur voor nodig, en aangezien we geen van drieën een camera of een smartphone bij ons hebben in de kitscherigste ijssalon van Söderköping, kunnen we helaas geen foto maken van de enorme beker ijskoffie van mijn vader en die uploaden. In plaats daarvan betalen we en slenteren we terug naar de auto, waarna ik achter het stuur spring en me klaarmaak om het volgende deel van het traject te rijden.

7

De snoepdief

We reizen verder zuidwaarts. Ik rij, Leo zit naast me en mijn vader ligt languit op de achterbank. Tot mijn grote vreugde heeft hij zijn gordel niet om. Anders is hij altijd zo met veiligheid bezig dat hij het niet kan laten wanneer we elkaar zien een complete risicoanalyse van mijn leven te maken. Uiteraard met bijgevoegd actiepuntenlijstje. Voorbeelden van onderdelen die daarop kunnen voorkomen zijn:

• ik zou meer moeten sparen voor mijn pensioen
• ik zou me zorgen moeten maken omdat ik geen vaste baan heb
• ik zou antislipmat moeten kopen voor de badkuip, zodat mijn kinderen niet op hun achterhoofd vallen en doodgaan.

Deze gewoonte is natuurlijk goud waard als je prijs stelt op een volledig overzicht van de gevaren in je onmiddellijke omgeving, maar kan tegelijkertijd nogal irritant zijn als je alleen maar even gezellig wilt koffiedrinken met je vader. Maar nu heeft hij dan toch, als een goede Zweed op vakantie, het veiligheidsdenken laten varen en ligt hij achterin te rusten. Dat voelt goed. Goed en ontspannen. En nog beter wordt het wanneer ik er na enig gepruts in slaag de sprekende navigator uit te schakelen. Al denkt mijn vader daar natuurlijk anders over.

'Waarom kun je hem niet gewoon aan laten staan?' vraagt hij

vanuit zijn stabiele zijligging op de achterbank.

'We vinden het zo ook wel,' zeg ik. 'We kunnen toch gewoon de weg volgen?'

'Maar je kunt de ramen toch wel dichtdoen?'

'Waarom?' vraag ik.

'Omdat het hier tocht, en de airconditioning werkt niet als de ramen openstaan.'

'Ik vind het wel lekker zo.'

'Met de airco kun je precies elke temperatuur krijgen die je maar wilt. Dát is pas lekker.'

'Maar dan krijg je de wind niet in je gezicht,' zeg ik.

'Ik wil de wind niet in mijn gezicht.'

'Maar ik wel.'

Mijn vader slaakt een luide zucht.

'Waarom doe je toch altijd zo dwars?' vraagt hij.

'Waarom doe jij altijd zo dwars?' antwoord ik.

'Jij begon. En trouwens, ik vroeg het eerst.'

'Oké,' zeg ik en ik doe de ramen half omhoog, waarna mijn vader zijn ogen sluit om een dutje te doen.

Maar daar komt mooi niets van terecht. Want Leo haalt een zak drop tevoorschijn en stopt voorzichtig een paar dropjes in de mond van zijn opa. En dan wordt het uiteindelijk te veel voor mijn vader, die een in de familie heel bekend zwak heeft voor juist dit type snoep.

'Geef hier,' zegt hij. Hij trekt de zak naar zich toe en begint in een indrukwekkend tempo het ene dropje na het andere in zijn mond te stoppen. Dit shovelachtige gedrag gaat een minuut zo door. Dan gaat hij weer liggen en slaagt er ondanks alle externe storingsmomenten in om in slaap te vallen.

Ik doe de ramen voorzichtig iets verder open terwijl we in een aangenaam tempo over de weg glijden. Kwidzyn, waar we naar op weg zijn, ligt een paar uur rijden ten zuiden van Gdańsk. Ik weet niet veel over de stad zelf, maar ben behalve met Lukasz in contact geweest met mensen van de gemeente en historici die bereid waren een afspraak met me te maken om meer te vertellen. De vraag is alleen hoeveel hulp ze eigenlijk kunnen bieden. Alles lijkt te zijn veranderd sinds de tijd dat mijn grootvader daar woonde. Toen was het een Duitse stad, nu een Poolse. En voor zover ik heb begrepen bestaat er bijna geen documentatie meer uit de tijd dat mijn overgrootvader daar zijn zaak had en kunnen we onze verbondenheid met de grond onmogelijk bewijzen. En dat betekent dat onze operatie, hoe die er ook uit zal komen te zien, in het geniep moet plaatsvinden.

*

Na ruim een uur wordt mijn vader wakker en begint weer te klagen over de tocht. Dan ziet hij de zak drop die naast zijn buik ligt en begint er geïnteresseerd in te wroeten.

'Maar er zitten helemaal geen lekkere meer in,' zegt hij. 'Hebben jullie die allemaal genomen?'

'Wij niet,' zeg ik. 'De zak lag bij jou.'

Mijn vader kijkt in de zak.

'Alleen nog krijtjes en bootjes,' zegt hij teleurgesteld. 'Hebben jullie de rest opgegeten?'

'Er zaten alleen maar krijtjes en bootjes in,' zegt Leo.

'Jullie hebben alle lekkere gepakt,' zegt mijn vader. 'Wat slecht. Het is weer het oude liedje.'

'Hoezo?' vraag ik. 'Jij bent degene die altijd alle snoep inpikt.'

'O ja?' zegt mijn vader. 'Dus ik zat achter de val van de Snoepreus?'

'Toen was ik nog klein.'

'Weet je, Leo,' zegt mijn vader, 'dat je vader mijn kansen heeft verpest om de eerste snoepmiljonair van Zweden te worden? Het was mijn allerbeste idee. En ik heb veel goede ideeën gehad.'

'Ja, maar...'

'Dit was lang voordat de Karamelkoning bestond, en niemand anders had het bedacht. "De Snoepreus" zou het bedrijf gaan heten, en ik had een heleboel monsters besteld. Ze zaten in kleine plastic verpakkingen en zagen er prachtig uit. En weet je wat er gebeurde? Nou, je vader heeft ze opgegeten.'

'Echt?' vraagt Leo.

'Tot en met het kleinste monstertje.'

'Zelfs de hele zure?' vraagt mijn zoon. Hij klinkt geïmponeerd en verbaasd tegelijk. Alsof hij niet goed kan verwerken dat zijn anders zo verantwoordelijke vader in staat is zo veel snoep eerst te stelen en vervolgens naar binnen te proppen.

'Alles,' antwoordt mijn vader. 'Hij wist elk klein verpakkinkje te vinden, ook al had ik ze heel goed verstopt. Die vader van je lijkt wel een doelzoekende robot wanneer het om zoetigheid gaat.'

'Maar...' begin ik.

'Werd hij niet misselijk?' vraagt Leo.

'Dat mag ik hopen,' zegt mijn vader. 'Hij zei geloof ik wel dat hij zich een beetje ziek voelde en toen vond jouw oma dat vast zo erg voor hem dat ze hem in bed stopte en hem kippensoep gaf.'

'Dat was slim,' zegt Leo.

'Slim?' roept mijn vader uit. 'Oneerlijk zul je bedoelen. Voor-al omdat hij zijn jongere zus de schuld gaf van de verdwenen snoep.'

'Dat deed ik toch niet?' zeg ik in een poging om mijn gestolen eer te herstellen.

'In ieder geval ontkende je glashard. En je was zóó onschul-dig, je wist van de prins geen kwaad. Dus wij dachten dat je zus het had gedaan. Foei, wat slecht. Jij bent niet te vertrouwen als er snoep in het spel is. Goed onthouden, Leo. Om nog maar te zwijgen van alle alcohol die je vader heeft gestolen.'

'Alcohol?' vraagt Leo, die het gesprek steeds interessanter lijkt te vinden.

'Ja, maar...' begin ik.

'Maar daar heeft hij niet alles van gestolen, zoals met de snoep. Nee, want de drank lengde hij aan met water. Hij dacht zeker dat we niets door zouden hebben. Maar aan het eind was het alleen nog maar water. En toen zul je mijn mooie whisky wel met an-dere rommel hebben aangelengd.'

Ik weet niet goed wat ik moet zeggen, behalve dat er misschien een kern van waarheid in die beschuldigingen zit. Mijn vader is, ondanks alles, niet de enige die zich in de loop der jaren ne-gatief heeft uitgelaten over mijn gebrek aan stijl waar het alco-holconsumptie betreft. Ook Gabi, een neef van mijn moeder uit

Israël, was namelijk hevig gechoqueerd. Mijn laatste ontmoeting met hem was toen hij vorige zomer in Zweden was. Hij is iemand die je al van verre herkent, of beter gezegd hoort, want hij heeft een heel karakteristieke manier van groeten, waardoor je hem met niemand anders kunt verwarren. We waren op een barbecuefeest en wilden net gaan eten, toen er een donderende stem met een Israëlisch accent door de conversatie sneed als een koksmes door gefilte fisj.

'HELLO DANNY WATTIN.'

Meteen daarna komt Gabi door de mensenmassa slenteren en omarmt me stevig. Vervolgens ziet hij mijn zoon, die naast me bij de barbecue staat, en heft dan een minstens even krachtig 'HELLO LEO WATTIN' aan. Hij kijkt Leo even onderzoekend aan en zegt dan tegen mijn zoon dat hij, met zijn in andere landen opgedane ervaring, precies zou moeten weten welk eten hij moet kiezen.

'LEO WATTIN. YOU HAVE LIVED IN AUSTRALIA. YOU DON'T WANT THE HORRIBLE SWEDISH KORV. IT HAS NO MEAT. YOU WANT REAL MEAT. YOU WANT REAL MEAT. HERE, HAVE SOME STEAK.'

Dan helpt hij Leo met het opscheppen van een paar mooie stukken vlees. Want Gabi geniet graag van het goede van het leven, ook als het in de vorm van eten of drinken is. En daarom trof het hem waarschijnlijk zo onaangenaam dat ik kort daarna de mooie whisky die hij me schonk in één keer achteroversloeg.

'HELLO DANNY WATTIN. THIS IS SINGLE MALT, NOT BEER. DRINK IT SLOWLY.'

Maar het is hoe dan ook altijd weer even fijn om Gabi te zien. Zijn vader Georg was de oudste broer van mijn opa Ernst en groeide net als Ernst, middelste broer Heinz en zusje Marianne op in Breslau in Zuid-Duitsland. Volgens de verhalen die ik heb gehoord, leidden ze lange tijd een normaal Duits middenklassebestaan. Hun vader, Wilhelm Lachmann, had een zaak waar ze herenkleding en textiel verkochten, de kinderen speelden piano, zongen in een koor en leerden Engels. Ze hadden allemaal academische ambities en in het begin van de jaren dertig waren de twee oudste kinderen al gaan studeren. Georg wiskunde en Heinz rechten.

Het toenemende antisemitisme was natuurlijk voelbaar, maar, zoals Heinz altijd zei: 'Ze waren toen niet zo lichtgeraakt als tegenwoordig.' En ze voelden zich nooit gehaat. Tenminste niet voordat Hitler aan de macht kwam. Daarna verslechterde het snel. De kinderen merkten de verandering vooral op school, waar alle leraren nazi's werden omdat ze anders hun baan kwijt zouden raken. Vader Wilhelm merkte het aan zijn winkel, die net als andere Joodse zaken geboycot werd. En dat was nog maar het begin. In de loop der tijd werd de haat steeds erger, en de rechten die het gezin altijd vanzelfsprekend had gevonden, werden hun een voor een ontnomen. Het duurde niet lang voordat de kinderen van school moesten en het gezin niet meer kon rondkomen van hun zaak.

Om te overleven reisden Wilhelm en zijn twee oudste zonen een tijd het platteland af om pannen te verkopen aan de boeren. Ze konden de eindjes net aan elkaar knopen en leefden als een soort rechteloze onderklasse die door iedereen geschopt kon worden. Protesteren of verzet bieden, zoals Heinz en Georg eerder hadden gedaan toen ze op straat tegen de nazi's hadden gevochten, was nu verboden en er stonden zware straffen op. En aangezien er geen groep in de samenleving bestond die het voor hen opnam, besefte het gezin dat ze uit Duitsland moesten zien weg te komen. Een inzicht dat ertoe leidde dat Heinz en mijn opa als leerling-boer aan het werk gingen, dat jongere zus Marianne lid werd van de Joodse jongerenorganisatie Jeugd-Aliya en dat oudste broer Georg leider werd van een organisatie die als doel had emigratie naar Palestina mogelijk te maken.

Ik ben in vrede opgegroeid en daarom is hun geschiedenis mij zo vreemd. En ook beangstigend. Vooral gezien de politieke ontwikkeling die tegenwoordig in grote delen van Europa plaatsvindt, waar het nazisme weer salonfähig is geworden en extremistische partijen steeds meer te vertellen krijgen. En dat gebeurt niet alleen in landen in economische crisis, zoals Duitsland in de jaren twintig, maar ook in enkele van de welvarendste staten van de wereld.

Ik weet niet hoe Georg, de oudste broer van mijn opa Ernst,

gereageerd zou hebben als hij dat nog had meegemaakt. Misschien zou hij zijn koffers hebben gepakt en zijn vertrokken. Dat deed hij toen in ieder geval wel. En in tegenstelling tot zijn twee jongere broers slaagde hij er daadwerkelijk in om, ondanks de restrictieve vluchtelingenpolitiek van de Britse mandaatregering, in 1938 naar Palestina te gaan. Daar is hij tien jaar gebleven. Hij trouwde, kreeg een dochter en ging scheiden. Hij vocht voor het Britse leger in West-Afrika en Egypte. Hij leerde een nieuwe vrouw kennen, hertrouwde en kreeg in de herfst van 1947 te horen dat hij opnieuw vader zou worden. Het zag er allemaal goed uit. Er woedde weliswaar een burgeroorlog, maar Israël zou een eigen staat worden wanneer het Britse Palestinamandaat afliep. Een toevluchtsoord voor alle Joden van de wereld.

De geboorte van de natie was echter op zijn zachtst dramatisch te noemen. De dag na de Britse terugtrekking en de onafhankelijkheidsverklaring van Israël op 14 mei 1948 werd het land door vijf Arabische staten aangevallen met als doel de Joodse staat weg te vagen.

Net als de meeste andere mannen vocht Georg voor de vrijheid van zijn land in een bijeengeraapt Joods leger. Op 23 mei, toen zijn vrouw elk moment kon bevallen, werd de vrachtauto waar hij en zijn manschappen in zaten beschoten. Ze vluchtten en probeerden aan de granaten te ontkomen, maar zagen toen een groep Israëlische soldaten over de weg rennen voor hun leven. Georg besefte dat die mannen zouden sterven als ze niet ingrepen en liet de vrachtauto stoppen om hen mee te nemen. Op het moment dat het voertuig vaart minderde, werd het door een granaat getroffen, en een dag voordat zijn zoon Gabi werd geboren, stierf de oudste broer van mijn opa.

Er zijn veel van dat soort verhalen in de familie. Over mensen die tegen alle verwachtingen in de Holocaust hadden overleefd om daarna op een andere manier te overlijden. In de oorlog zoals Georg, door verdrinking zoals de zwager van de broer van mijn opa Ernst, of door eigen hand. Dat laatste kwam waarschijnlijk het vaakst voor. Onze Zweedse tak heeft de laagste ongelukkenfrequentie. Misschien omdat wij, net als mijn vader, het veiligheidsdenken van ons nieuwe land hebben overgenomen. Maar nu zijn we dus op vakantie, zonder veiligheidsgordel. En gezien de stijgende heftigheid van de snoepdiefdiscussie zou een auto-ongeluk redelijkerwijs tot de mogelijkheden moeten behoren.

'Nee, Leo,' zegt mijn vader, die een krijtje in zijn mond stopt. 'Ik stel voor dat je je snoep op een veilige plek opbergt vanaf nu. Ergens waar Danny niet zo vaak komt. In de badkamer misschien.'

'Wat bedoel je daarmee, verdomme?' vraag ik.

Mijn vader werpt mijn zoon een brede glimlach toe.

'Goh, wat windt die zich op,' zegt hij. 'Is hij vaak zo?'

Voordat mijn zoon of ik op die vraag kan antwoorden, gaat de telefoon. Het is mijn moeder, die zich afvraagt hoe het met ons gaat.

'Nou, dat zal ik je vertellen,' zegt mijn vader. 'Ze ruften en ze pesten me. Die zoon en kleinzoon van je. En ze hebben alle snoep opgegeten.'

'DAT HEB JE ZELF GEDAAN,' schreeuwen Leo en ik op Gabi Lachmannsterkte richting achterbank.

8

Een Zweedse tijger

We rijden verder, door Småland met zijn bossen, rode huisjes en Duitse toeristen op zoek naar *Lebensraum*. Het zijn er zoveel dat je bijna zou vermoeden dat de Duitsers hebben besloten die invasie waar mijn familie in de Tweede Wereldoorlog zo bang voor was alsnog uit te voeren. Maar ditmaal is er natuurlijk geen reden voor bezorgdheid, want voor zover ik weet zijn ze dol op ons, onze meren en elanden en socialistische misdaadromans geschreven door chagrijnige oude mannen.

Hun liefde voor Zweden is eigenlijk niet zo vreemd. Er heeft lange tijd een sterke band bestaan tussen onze beide landen, en onze culturele, politieke en economische contacten gaan vele generaties terug. Tot ver voor de wereldoorlogen en de Holocaust. Feit is dat op het moment waarop Hitler de macht overnam weinig Europese landen zo'n goede relatie hadden met Duitsland als juist Zweden. Dus het was niet heel makkelijk om te bepalen hoe je je moest opstellen toen de waarheid over waar de nazi's mee bezig waren uitlekte. Vooral niet omdat er nogal wat geld mee gemoeid was, dat we verdienden met het leveren van ijzererts en kogellagers aan de Duitse oorlogsmachinerie. Dat bleven we trouwens doen tot lang nadat de massamoorden van de Duitsers algemeen bekend waren, ondanks druk van zowel Engeland als de Verenigde Staten. Pas in november 1944, zes maanden voor het eind van de oorlog, stopten onze leveranties. En er zijn historici die van mening zijn dat Zweden daarmee heeft bijgedragen aan een verlenging van zowel de oorlog als de Holocaust.

Maar dat is wijsheid achteraf en het is gemakkelijk om moedige beslissingen te nemen wanneer er niets op het spel staat. Des te moeilijker is het om uit te maken hoe je je moet gedragen wanneer een dierbare oude vriend het spoor bijster raakt (een vriend met wie je bovendien zaken doet). Voor de Zweden werd het moeilijk balanceren. Ze wilden buiten de oorlog blijven en tegelijkertijd een goede relatie houden met hun handelspartner. De oplossing was onze beroemde neutraliteit, en onze burgers werd aangeraden af te zien van elk waardeoordeel voor of tegen Duitsland. Dat gebeurde op een heleboel verschillende manieren. Het Zweedse ministerie van Buitenlandse Zaken hield rapporten over vergassing en massamoord op de Joden geheim. De meeste Zweedse kranten waren van mening dat het 'een binnenlandse aangelegenheid' was voor Duitsland (*Svenska Dagbladet*) en dat 'de Zweedse pers zich verre moest houden van alle demonstratieve uitingen van sym- of antipathie ten aanzien van vreemde mogendheden' (*Göteborgs Posten*). Dat je gewoon je mond moest houden over dingen die het neutrale Zweden zouden kunnen schaden, of zoals het inlichtingenbureau van Buitenlandse Zaken, Statens Informationsstyrelse, het uitdrukte in zijn beroemde reclamecampagne uit 1941: *En svensk tiger.**

Tegelijkertijd waren er natuurlijk uitzonderingen, mensen die wel voor hun mening uitkwamen. De bekendste was waarschijnlijk de hoofdredacteur van *Göteborgs Handels- och Sjöfartstidning*, Torgny Segerstedt, die in zijn artikelen kritiek uitte op het nazisme en op Hitler en daarmee de Duitse regering het bloed onder de nagels vandaan haalde. Maar het schrijven van deze commentaren had wel een prijs. Segerstedt werd er onder andere van beschuldigd de neutraliteit van Zweden in gevaar te brengen, hij werd geboycot door adverteerders, op straat bespuugd, voor landverrader uitgemaakt en zelfs gewaarschuwd door de toenmalige koning (die er echt beter aan had gedaan

---

* Op de reclameposter uit die tijd is een blauw-geel gestreepte tijger te zien met daaronder de tekst '*En svensk tiger*'. Dat zinnetje kan twee dingen betekenen: 'Een Zweed zwijgt' of 'Een Zweedse tijger'.

zich op 'traditionelere' koninklijke plichten te concentreren). Maar ondanks de tegenwerking ging de hoofdredacteur door met schrijven over het nazisme waar hij zo'n gruwelijke hekel aan had. En toen keerde het tij; er kwam een eind aan de oorlog en Segerstedt werd een nationale held die geëerd werd vanwege zijn voorbeeldige burgerlijke moed. Jammer genoeg was hij toen al dood, maar er werden in ieder geval een paar straten naar hem genoemd en hier en daar kreeg hij een monument. Bovendien leven zijn herinnering en goede voorbeeld voort. Want nu zwijgen de Zweden waarachtig niet meer. Nee, nu bloggen we dat het een lieve lust is en geven we vol overgave onze mening op elk anoniem internetforum dat je maar kunt bedenken. En we verkopen ook geen oorlogsmaterieel. In ieder geval niet aan oorlogvoerende landen of dictaturen (tenzij ze beloven dat ze het wapentuig niet zullen gebruiken). Bovendien hebben we, ondanks alles wat er in de laatste periode van de oorlog is gebeurd, dus weer een heel goede relatie met Duitsland.

Hoe we ten opzichte van Polen staan, weet ik niet precies. Dat zullen we wel zien. De reis erheen is tot nu toe in ieder geval goed verlopen, en het wordt nog beter wanneer radio P3, ergens tussen Söderköping en Västervik, een speciaal programma uitzendt over een van Leo's favoriete bands, First Aid Kit. Het is interessant. Luisteraars bellen met vragen en de twee meiden geven antwoord. Wanneer we in het programma vallen, is hun net een vraag gesteld over hoe ze met muziek zijn begonnen.

'Het heeft er voor ons altijd bij gehoord,' zegt een van de meiden. Maar dan verstaan we het verder niet meer, aangezien ze wordt overstemd door een sceptische stem van de achterbank.

'Er altijd bij gehoord?' vraagt mijn vader. 'Hoe oud zijn ze helemaal? Vijftien?'

Op de radio praat First Aid Kit verder. Nu vertellen ze hoe het schrijven van nummers in zijn werk gaat. Ze gaan uit van hun emoties, zeggen ze, en ze leggen uit dat een nummer een manier is om die emoties te delen. Zodat degenen die hetzelfde meemaken zich misschien minder eenzaam voelen.

'Hoe oud zijn ze helemaal?' vraagt mijn vader weer. 'Dertien?'

Hij schiet nu wel een beetje door met zijn ironische opmerkingen en dat zal nog wel erger worden. Want nu vergelijken de meiden een nieuwe plaat met een kind dat de wereld in gaat, en die metafoor zou mijn vader waarschijnlijk graag als een hongerige krokodil aan stukken willen scheuren. Maar dan hoort hij dat de vader van de meisjes meegaat op tournee, en is hij des te meer onder de indruk.

'Waarom ben jij niet wat meer zoals zij?' zegt hij tegen mij. 'Je zou je vader moeten eren, in plaats van de draak met hem te steken.'

'Ik doe mijn best,' zeg ik. 'Heb ik niet een heleboel ontbijtbuffetten besteld, soms?'

'Ja, dat wel,' geeft hij toe. 'Dat is tenminste een stap in de goede richting. Ook al moet je nog veel leren.'

En wat ontbijt betreft, Leo begint nu echt trek te krijgen, wat op zich niet zo raar is gezien het tijdstip: het is al twee uur geweest.

'We moeten gauw stoppen om te eten,' zeg ik.

'Hè?' zegt mijn vader. 'Alweer?'

'We hebben sinds vanochtend niets meer gehad.'

'Wel waar. We hebben toch in de ijssalon in Söderköping gezeten?'

'Daar heb jij gezeten,' zeg ik. 'Wij niet. En trouwens, ijs is geen eten.'

'Nu klink je net als mijn vrouw,' zegt mijn vader. 'En we hebben ook drop gegeten. Daar kun je het wel een tijdje op uithouden.'

'Vier dropjes is geen eten,' zeg ik en nu klink ik net als mijn moeder.

'Voor mij is het genoeg,' zegt mijn vader. 'Ik begrijp niet waarom jullie de hele tijd moeten eten.'

'Dat heet lunch,' zeg ik.

'Jullie gaan er nog eens uitzien als ballonnen als jullie zo doorgaan.'

'Leo is negen en heeft middageten nodig,' zeg ik. 'En trouwens, van regelmatig eten word je niet dik. Niet als je sport.'

En daarna kan ik me niet meer bedwingen en ik steek een lang en enigszins moraliserend betoog af over hoe belangrijk een uit-gebalanceerde voeding voor je welzijn is. Wanneer ik klaar ben, kijkt mijn vader me aan met zo'n blik die je anders vooral in die-rentuinen ziet, wanneer mensen een bijzonder eigenaardig we-zen in het oog krijgen. Een vogelbekdier of zo.

'Ja, ja,' zegt hij vervolgens. 'Maar dan begrijp ik nog steeds niet waarom jullie altijd zo veel trek hebben. Misschien hebben jullie een lintworm?'

'We hebben geen lintworm, en er is niks mis met regelmatige maaltijden,' zeg ik chagrijnig.

'In dat geval neem ik graag nog wat drop,' zegt mijn vader.

'Dat is op,' zeg ik. 'Dat heb jij opgegeten.'

'Ja, ja,' zegt mijn vader. 'Dan doe ik nog een dutje.'

En dat doet hij.

Misschien hebt u er wel eens iets over gehoord: binnen het Tibe-taanse boeddhisme bestaat een richting die *crazy wisdom* wordt genoemd en die er, als ik het goed heb, op neerkomt dat je men-sen zo in verwarring moet brengen dat ze verlichting bereiken. Dat je, door met conventies te breken en onverwachte methodes te gebruiken, je discipelen tot inzicht laat komen over de ware natuur van de wereld. De methode voldoet ook wanneer je, net als de bekendste beoefenaar ervan, Chogyam Trungpa, een ge-reïncarneerde lama bent, maar toch alcohol wilt drinken en met veel verschillende vrouwen naar bed wilt. Maar de coverboy van deze beweging, die in de jaren zeventig in de Verenigde Staten werkte, was zeker niet de eerste die geloofde dat verwarring je wakker kan schudden en je kritisch kan maken, waarna je tot in-zicht komt. Soortgelijke heilige gekken worden in volkssprook-jes over de hele wereld genoemd. Het bekendst zijn de verhalen over mollah Nasreddin, die in het hele Midden-Oosten worden verteld. In een van die verhalen, waar ik bijzonder weg van ben, is de mollah door een dorp uitgenodigd om te komen prediken. In het verhaal staat hij op het plein voor het volk te wachten tot het stil is. Dan zegt hij: 'Weten jullie waar ik het over ga hebben?'

'Nee,' roept het volk.

'O,' zegt mollah Nasreddin en hij verklaart dat hij dan geen zin heeft om te preken. Dat ziet hij niet zitten als de mensen zo weinig interesse hebben dat ze niet eens de moeite hebben genomen om erachter te komen waar hij het over gaat hebben. En hij gaat weg.

De mensen uit het dorp vinden dit ontzettend pijnlijk. Ze bidden en smeken hem terug te komen en het nog een keer te proberen. Mollah Nasreddin gaat hiermee akkoord en de volgende dag staat hij weer voor hen.

'Weten jullie waar ik het over ga hebben?' vraagt hij.

'Ja,' schreeuwt het volk.

'O,' zegt mollah Nasreddin en hij verklaart dat hij in dat geval hun kostbare tijd niet wil verspillen door iets te vertellen wat ze al weten.

Nu waren de dorpelingen, zoals u begrijpt, echt in verwarring. Desondanks nodigden ze de wijze man nog een keer uit. Ditmaal bereidden ze zich goed voor en maakten een plan om hem te laten vertellen wat hij te vertellen had. Dus toen mollah Nasreddin de volgende keer voor hen stond, wisten ze precies hoe ze het zouden aanpakken.

'Weten jullie waar ik het over ga hebben?' vroeg hij.

'Ja,' schreeuwde de ene helft van de mensenmenigte.

'Nee,' schreeuwde de andere helft.

Mollah Nasreddin bleef een tijdje zwijgend naar de mensen van het dorp staan kijken, waarna hij zei: 'O, maar in dat geval kan de helft die het weet het vertellen aan de helft die het niet weet.'

En daarop ging hij weg.

Of mijn vader het antwoord van Upplands Väsby op mollah Nasreddin is, kunnen we in het midden laten, maar hij brengt me wel in verwarring. Ik begrijp nooit goed wat hij bedoelt, of hij meent wat hij zegt of dat hij een grapje maakt. En ook al is dit soms vermakelijk, na een tijdje kan een niet volledig verlicht persoon zoals ikzelf er een punthoofd van krijgen. Daarom kan het soort gedachtewisseling dat bij mijn moeder in de familie plaatsvindt af en toe verfrissend zijn. Daar doen ze niet aan ironische of diplomatieke omschrijvingen, maar communiceren ze recht voor zijn raap. Precies zoals het is, of tenminste zoals de persoon in kwestie vindt dat het is. Want als je een mening hebt, moet je die geven. Of het nu om een lelijk kapsel gaat, of dat een familielid wel erg dik is geworden. Vanzelfsprekend kan ook deze communicatievorm als vermoeiend worden opgevat, maar er bestaat in ieder geval geen twijfel over wat mensen van je vinden. En dat is dan precies het tegenovergestelde van de Zweedse gespreksnormen, die vooral ten doel lijken te hebben om het de deelnemers zo moeilijk mogelijk te maken om de gemoedstoestand van de ander af te lezen.

Mijn oom vatte dit fenomeen goed samen toen we elkaar een tijdje terug ontmoetten. Hij zei dat hij als kind nooit goed begreep wat er bij zijn vrienden thuis gebeurde. Of hun ouders een goed humeur hadden of dat ze boos waren. Of ze het leuk vonden dat hij langskwam of dat ze hem liever kwijt dan rijk waren. Dat kon je niet zien. Het aflezen van het humeur van mijn oma Helga vond hij kinderspel in vergelijking.

'Dat was erg makkelijk. Als je een draai om je oren kreeg wanneer je binnenkwam, dan wist je meteen dat ma een slecht humeur had.'

Want er waren altijd veel emoties in de familie van mijn moeder, en er was veel leven. Er waren ook altijd veel mensen, die kwamen eten en bleven slapen. Zoveel dat mijn moeder en de andere kinderen hun huis voor de grap 'Hotel Lachmann' noemden. Het waren familieleden en vrienden en klanten van de radiozaak die mijn opa mee naar huis nam om mee te eten. En er was, zoals mijn oma Helga placht te zeggen, altijd veel afwas en er werden zulke luide discussies gevoerd dat de buren boven kwamen kijken of er niet gevochten werd.

Ja, het was altijd druk in het huis van mijn grootouders van moederskant. Zo druk dat de vader van mijn opa Ernst, de koopman Wilhelm Lachmann, er op het laatst niet meer tegen kon. En die oude man had toch het nodige meegemaakt. Zijn zaak in Breslau was geboycot en hem ontnomen. Hij had een tijd in concentratiekamp Buchenwald gezeten en dat overleefd. En een dag voor het uitbreken van de Tweede Wereldoorlog had hij zijn huis en zijn bezittingen achtergelaten om samen met zijn vrouw Hertha naar Italië te vluchten. Dat was nog niet zo makkelijk te organiseren geweest. Het echtpaar had geen contanten en ze konden niet bij hun spaargeld omdat de Duitsers hun rekeningen hadden bevroren. Hun vlucht werd mogelijk doordat een familielid in de Verenigde Staten een bedrag voor hen op een Italiaanse bankrekening had gezet. Het idee was dat het echtpaar de grens zou oversteken, het geld zou opnemen en daarna op de een of andere manier zou doorreizen naar Palestina.

Aanvankelijk verliep alles volgens plan. De ouders van mijn opa slaagden erin Italië te bereiken en ontvingen daar ook het bedrag dat op hun naam was ingelegd. Daarna ging het minder goed. Hertha bleek kanker te hebben en verzwakte snel.

Hertha Lachmann stierf in Triëst. Haar man begroef haar en trok vervolgens te voet door het land. Hij doorkruiste zowel de Duitse als de Engelse linie en slaagde er uiteindelijk in een vluchtelingenkamp in Bari te bereiken. Wilhelm was toen bijna zestig en hoe hij zijn ruim duizend kilometer lange voettocht had overleefd, weet niemand. Die verhalen nam hij mee in zijn graf. Maar op de een of andere manier redde hij het en hij nam een boot naar Palestina, alleen om aan de grens te worden tegengehouden en in een vluchtelingenkamp op Cyprus terecht te komen. Daar zat hij vervolgens ruim een jaar voordat zijn zoon Georg hem het beloofde land wist binnen te krijgen.

In Palestina trok Wilhelm in bij zijn dochter Marianne (die via de organisatie Jeugd-Aliya had weten te emigreren), maar nadat Georg was gesneuveld wilde hij zijn andere kinderen zien. Dus mijn opa en zijn broer Heinz spaarden elke cent en konden uiteindelijk hun vader hierheen laten komen. Wilhelm vond Zweden geweldig en drie jaar later, toen hij zeventig werd, kwam hij weer. Na zijn derde bezoek, dat in 1956 plaatsvond, wilde hij voorgoed blijven.

Eerst woonde hij bij mijn grootouders, maar uiteindelijk kon de oude man er niet meer tegen. Het was daar gewoon te druk, ook voor iemand die in concentratie- en vluchtelingenkampen had gezeten en midden in de oorlog Italië te voet had doorkruist. Dus de koopman uit Breslau checkte uit bij Hotel Lach-mann en verhuisde naar het Joodse bejaardentehuis waar hij in alle rust verder zou leven tot aan zijn dood.

Hieruit valt onder andere op te maken dat mijn vader en ik, in vergelijking met hoe het er bij mijn grootouders van moeders-kant aan toeging, feitelijk best beschaafd zijn in ons contact. Want de meeste dingen zijn zoals bekend betrekkelijk. Zowel gedrag als honger. Maar nu kan ik ondanks dit onbetwistbare feit niet langer wachten en daarom rij ik Kalmar in om iets te eten te vinden. Dat blijkt gemakkelijker gezegd dan gedaan, en we rijden een hele poos rond totdat ik uiteindelijk voor een ver-lopen pizzeria parkeer, waar we twee pizza's en een traditionele Zweedse pizzasalade bestellen. Mijn vader vraagt zich af of we echt zo veel eten nodig hebben en ik zeg gedecideerd van wel, en dat je dat lunch noemt. Daarna gaan we zitten eten, en dan bedenkt mijn vader dat eten toch niet zo'n gek idee is, en hij eet ruim de helft van alle pizza op. Dan belt mijn moeder voor een update en krijgt van haar man te horen dat er continu gegeten wordt en dat Leo en ik ons nog eens te barsten zullen eten als het zo doorgaat.

'DAT HEET LUNCH,' schreeuw ik bijna, waarop de vermoeide pizzabakker en de twee andere gasten in de pizzeria even stop-pen met wat ze aan het doen zijn en ons vanuit een ooghoek be-kijken.

Dan werken we de rest van het eten naar binnen, met inbe-grip van de smakeloze salade, en stappen weer op. Een uur later, ruim vierenhalf uur voordat de boot naar Gdynia vertrekt, arri-veren we in Karlskrona.

9

Het prinsesje uit Berlijn

We parkeren op het grote plein en lopen even de stad in, terwijl we op de boot wachten. Na een tijdje doelloos kuieren lopen we een cafeetje aan zee binnen.

'Je kunt nu nog een ijsje nemen,' stelt mijn vader voor. 'Het is voorlopig de laatste kans.'

'Ach,' zeg ik, 'ze hebben toch overal ijs.'

'Geen Zweeds ijs,' informeert mijn vader ons.

'GB is toch niet Zweeds?' zeg ik, zonder dat ik eigenlijk een idee heb waar ik het over heb.

'Misschien niet, maar je weet in ieder geval wat je krijgt. Wie weet wat de Polen in hun hoorntjes stoppen. Vooral als ze erachter komen dat we Joden zijn.'

'Nee, precies,' zeg ik ironisch. 'Want dan plassen ze natuurlijk in het ijs.'

'Dat kun je niet uitsluiten,' zegt mijn vader. 'Dus grijp je kans nu jullie nog Zweeds ijs van hoge kwaliteit binnen handbereik hebben.'

We volgen zijn advies op, kopen ieder een hoorntje en gaan op het terras voor het café zitten.

'Lekker ijs, hè, Leo?' vraagt mijn vader enthousiast aan zijn kleinkind. 'Jij en ik kunnen er straks nog een nemen, voor alle zekerheid. Je vader kan nog wel even wachten, die neemt in Polen wel een oud antisemitisch ijsje.'

Hij werpt me een grote glimlach toe.

'Trouwens,' begint hij onschuldig. 'Wordt het geen tijd om

weer eens wat te eten? Het is alweer een uur geleden.'

'We hebben geluncht,' mopper ik. 'Dat is normaal.'

'Ja, ja,' zegt mijn vader. 'Maar toch. Jullie zouden van de gelegenheid gebruik moeten maken nu we nog in Zweden zijn. Straks is het alleen oude worst wat de klok slaat.'

'Ik heb liever Poolse worst dan Zweedse,' zeg ik.

'Ik niet,' zegt mijn vader. 'Je hebt er geen idee van wat ze erin stoppen. Het kan van alles zijn.'

'Misschien wel vlees,' opper ik. 'In tegenstelling tot de Zweedse. En trouwens, Pools eten is erg lekker. Ze gebruiken niet al die halffabricaten die wij hier hebben. Ze maken alles zelf en ze hebben *pierogi* en veel lekkerder worsten dan wij.'

'Hoe weet je dat?' vraagt mijn vader.

'Ik heb Poolse worst gegeten,' zeg ik. 'Die is ontzettend lekker.'

'Ja, maar dat andere. Die pierogi en zo. Heb je die ook gehad?'

'Nee,' zeg ik.

'Hoe weet je dan dat die zo lekker zijn?'

'Dat heb ik gelezen.'

Mijn vader richt zich weer tot Leo.

'Zie je wel?' zegt hij. 'Je vader weet zoals gewoonlijk niet waar hij het over heeft. Maar omdat hij zo koppig is, doen we het zo. We laten hem alle vieze worsten opeten, dan gaan wij met z'n tweeën naar de McDonald's.'

'Ik vind Max beter,' zegt Leo.

'Dat komt toch op hetzelfde neer?' zegt mijn vader.

'Max is lekkerder.'

'Ja, maar waarschijnlijk is er geen Max in Polen. Dus dan moeten we naar McDonald's. Dat wordt smullen. We nemen hamburgers en friet en een milkshake. Laat je vader dan maar lekker zitten mokken bij zijn oude vleesafval.'

'Er is niks mis met Pools eten,' zeg ik boos.

'Misschien niet,' zegt mijn vader, 'maar ik probeer het toch liever niet uit. In ieder geval niet als er geen schoon toilet in de buurt is.'

'En waarom dan wel niet?'

'Omdat ik mij niet graag onnodig blootstel aan gebrek aan comfort.'

Daar komt hij wel wat laat mee, nu we op het punt staan het land te verlaten en op avontuur te gaan.

We lopen terug naar de auto en rijden naar de boot. Wanneer we bij de haven komen hebben we nog steeds anderhalf uur te gaan tot aan het vertrek en het inschepen is nog niet begonnen. Om de tijd te verdrijven halen we een kaartspel tevoorschijn en spelen een potje pesten op de achterbank. Voordat ik de kaarten verdeel, stel ik mijn zoon dezelfde vraag die mijn moeder mij altijd stelde voordat we een potje gingen kaarten: 'Gaan we eerlijk spelen, of net als tante Hilde?'

Deze tante, die op loopafstand van mijn oma woonde, was berucht vanwege haar vals spelen. Het maakte niet uit of ze met kinderen kaartte of bridgete met vrienden, ze speelde altijd vals. Verder weet ik niet veel meer van haar, want ze overleed toen ik nog klein was. Ik heb lang gedacht dat ze een vriendin van mijn oma Helga was. Een klein mensje dat in haar appartementje in Hässelby Centrum zat te wachten tot er een onschuldige stakker voorbijkwam die ze bij een gezelschapsspelletje kon verslaan. Dat ze de tante van mijn oma was en haar tweede moeder, daar had ik geen idee van. Daar kwam ik pas achter toen ik op mijn twintigste mijn oma interviewde om meer te weten te komen over wat mijn familie had meegemaakt.

Dat was, zoals ik al eerder heb verteld, geen gemakkelijke opgave. Of ze zeiden bijna niets, zoals mijn opa's, of ze staken zulke verhalen af dat niemand in staat was ernaar te luisteren, zoals mijn oma Helga. De gefragmenteerde verhalen die ze tussen de beledigingen en klaagzangen door strooide, werden een soort achtergrondruis waar niemand nog aandacht aan schonk of op lette. Zo verging het mij ook. Ook die keer toen ik mijn oma interviewde in haar appartement in de Kvarnhagsgatan in Hässelby. Ze zat zoals gewoonlijk Pall Mall zonder filter te roken, de monstersigaretten die ze voor haar chemotherapie had gerookt en daarna weer. Ik zat tegenover haar, de cassetterecorder stond aan, en ik stelde mijn vragen terwijl zij dezelfde oude verhalen vertelde. Maar ditmaal aan één stuk door, in plaats van bij stukjes en beetjes tussen de betogen door over dingen die zij mesjoega vond. Het waren allemaal dingen die ik al eerder had gehoord, dacht ik. En ik weet nog dat ik bijna teleurgesteld was omdat ze niets opzienbarenders te vertellen had of iets wat ik nog niet wist. Maar, dacht ik, we zagen elkaar in ieder geval weer eens en we konden mooi een kaartje leggen.

Toen we een hele poos later uitgepraat waren, reed ik terug naar Uppsala en ging met mijn koptelefoon op in mijn studentenkamer zitten om ons gesprek uit te werken. En pas op het moment dat ik die iele, eenzame stem op de band hoorde vertellen over wat er gebeurd was, kwam het bij me binnen. Zo hard als de trap van een paard tegen mijn middenrif. Zo hard dat ik halverwege het bandje in huilen uitbarstte.

Mijn oma Helga Gumpert werd geboren in de Duitse plaats Schneidemühl, tweehonderdvijftig kilometer ten oosten van Berlijn. Haar familie had het goed. Ze woonden in een mooi, groot appartement; Helga's vader had een benzinepomp en was Ford-dealer. Al is welstand op zich natuurlijk relatief en waren ze vergeleken met de tante van mijn oma Helga zo arm als kerkratten. Want de vals spelende tante Hilde en haar man Onkel Philip hadden in die tijd een van de grootste kleermakerijen van Berlijn, met zo'n honderdtwintig werknemers. Het ging het echtpaar voor de wind. Ze naaiden jurken en andere dameskleding voor alle modezaken van de stad en waren, in de woorden van mijn oma, 'stinkend rijk'. Bovendien wisten ze hoe ze het ervan moesten nemen. Twee keer per jaar maakte het echtpaar een reis naar Parijs om inspiratie op te doen en ze hadden masseurs en kappers die elke dag bij hen aan huis kwamen om Onkel Philip te scheren en tante Hilde een massage te geven. Er ontbrak maar één ding aan hun geluk, en dat was dat ze geen kinderen konden krijgen. Dat was een grote tragedie, want Hilde was dol op kinderen en greep elke kans aan om op mijn oma te passen.

Daarom werd Helga toen ze drie jaar was en er kinkhoest heerste in Schneidemühl naar haar tante in Berlijn gestuurd, in de hoop dat ze dan aan besmetting zou ontkomen. Maar zo ging het niet. Mijn oma kreeg kinkhoest zodra ze in de stad aankwam en moest er daarom drie weken blijven. Tante Hilde bedankte haar gelukkige gesternte. Ze vond het geweldig zo lang een klein meisje bij zich te hebben en ze behandelde haar nichtje als een prinses. Het eerste wat ze deed toen mijn oma weer beter was, was haar meenemen naar hun fabriek, waar ze de kleermakers zes jurken voor haar liet maken.

Toen Helga's moeder Margarete van die fratsen hoorde werd ze woest.

'Daar is ze straks zo weer uit gegroeid,' zei ze.

'Maak je daar maar niet druk om,' antwoordde tante Hilde. 'Jij hoeft ze niet te betalen.'

Na de episode met de kinkhoest ging mijn oma steeds vaker op bezoek in Berlijn. Ze voelde zich daar thuis, en Hilde vond het heerlijk het meisje in huis te hebben. Toen mijn oma zes werd, in 1929, werd besloten dat ze in Berlijn naar school zou gaan en permanent bij haar tante en Onkel Philip zou logeren. Ze woonden in een achtkamerappartement in het centrum van Berlijn en hadden personeel dat voor mijn oma zorgde alsof ze een koninklijk persoontje was. Ze had onder andere een eigen gouvernante die haar Franse les gaf en een privéchauffeur die met haar door de hele stad reed en haar om de veertien dagen naar haar ouders bracht.

Dat vertelde mijn oma in haar rokerige appartement en toen ze bij dit deel van haar verhaal was aanbeland, stopte ze even en keek me aan.

'Ik was een verwend nest,' zei ze. 'Een prinses op de erwt. En het was geweldig. Berlijn was geweldig. Daar had je alles. Cafés, dancings en fantastische neonreclameborden.'

Ze deed een grote haal aan haar sigaret en blies de rook naar het plafond.

'Maar als je zo beschermd opgroeit,' ging ze verder, 'dan sta je niet stil bij wat er om je heen gebeurt. En wanneer je hele wereld vervolgens instort, weet je niet wat je overkomt.'

*

We maken ons potje pesten af en Leo wint zonder zelfs maar tante-Hildemethodes te hoeven gebruiken. Terwijl hij de kaarten schudt voor het volgende potje open ik het portier en kijk om me heen. We staan midden in een lange rij, die zich zeker honderd meter uitstrekt. Ondanks alle andere reizigers die hier zijn, zo dichtbij, maakt het gebied een levenloze, lege en uitgestorven indruk. Er is geen mens buiten, iedereen blijft afgezonderd in zijn auto zitten. De situatie doet me denken aan wat mijn oma bijna twintig jaar geleden zei, aan het eind van het vraaggesprek dat ik toen met haar voerde.

'Ik had een geweldig leven in Berlijn. Daar had je alles. Er was zo veel leven overal. En toen kwam ik hier. Op een plaats waar de mensen niet met elkaar praten. Dat is niets voor ons mensen van het continent. Wij zijn sociaal. Allemaal. En nu heb ik al bijna mijn hele leven hier gesleten. Een stil leven. Voor ons is dat geen leven.'

10

Als ze ons niet willen, willen wij hen niet

Na nog een aantal potjes krijgen we eindelijk toestemming de boot op te rijden en te parkeren. We vinden onze hut, gooien onze spullen naar binnen en gaan op zoek naar een betaalbare maaltijd. Na wat zoeken vinden we een schoolkantineachtig buffet dat er in ieder geval goedkoop, uitziet. Ik bestel borsjtsj en een salade voor mezelf en een kinderhamburger voor mijn zoon. Het laatstgenoemde gerecht blijkt het koopje van de avond te zijn; het is niet alleen goedkoop maar ook groot genoeg voor minstens één volwassen Zweed. Wanneer mijn vader dat doorkrijgt, probeert hij er meteen ook een voor zichzelf te bestellen. Alleen om meteen bruusk te worden terechtgewezen door een grote Pool met een schort voor die zegt dat het alleen voor kinderen is.

'Typisch,' moppert hij wanneer we aan een tafeltje gaan zitten. 'Hij heeft vast gezien dat we Joden zijn.'

'Gierige Joden,' zeg ik en ik loop naar het enorme saladebuffet en schep zo veel eten op dat het voor ons allebei genoeg is.

Maar mijn vader is niet geïnteresseerd in het delen van mijn maaltijd.

'Leo,' zegt hij. 'Als je die hamburger ophebt, kun je dan een nieuw hamburgermenu voor mij bestellen?'

Mijn zoon kijkt naar de enorme portie die op zijn bord ligt, kijkt mijn vader aan en zegt: 'Ik kan dit nooit allemaal op.'

'Jawel, joh, dat kun je best op,' zegt mijn vader. 'Je bent toch een grote kerel?'

'Maar het is ontzettend veel.'

'Waarom neem je niet wat van mij?' vraag ik en ik schuif mijn overvolle bord in de richting van mijn vader. 'En trouwens,' ga ik verder, 'Leo houdt vast wel wat eten over dat jij mag hebben.'

Maar dat wil mijn vader niet. Hij wil niet in de resten van anderen wroeten. Dus wanneer de Poolse reus met de schort even later komt vragen of alles naar wens is, doet hij een nieuwe poging om het systeem te omzeilen.

'It was very good,' zegt hij. *'He likes it. And when he is finished he will order one more plate. Because he is hungry boy. Okay?'*

De grote Pool kijkt argwanend naar mijn negenjarige zoon en zijn enorme portie, draait zich dan om en loopt zonder een woord te zeggen weg.

'Wat zei ik je?' zegt mijn vader. 'Het zijn allemaal antisemieten.'

Daarna verlaat hij het tafeltje en loopt een rondje over de boot om te zien of er elders nog goedkopere mogelijkheden zijn, zodat hij zijn felbegeerde eigen portie kan krijgen. Ook in dit voedselgerelateerde opzicht zijn wij elkaars tegenpool. Ik sta binnen de familie bekend als de menselijke afvalbak, degene die alles opeet wat overblijft en het geen enkel probleem vindt de restjes van mijn kinderen de volgende dag mee te nemen in mijn lunchtrommel. Mijn vader daarentegen houdt er niet van om het eten van anderen op te eten of te delen. Hij geeft de voorkeur aan een duidelijke verdeling tussen mijn en dijn, wat grappig is, gezien het feit dat mijn halve Duitse familie niets liever wilde dan in een kibboets leven, waar je de meeste dingen deelt.

De meest gedrevene van die familieleden was Ruth, de schoonzus van mijn opa Ernst. Op jonge leeftijd droomde ze er al van om haar familie en haar land te verlaten en naar Palestina te emigreren. Toen ik van haar streven hoorde, was ik eerst heel verbaasd. Het beeld van zo'n pionier klopte helemaal niet met het kleine, blozende vrouwtje dat ik kende. Die altijd over mijn wang aaide en me 'Dannile' noemde, en die zo'n rustig en stil leven leidde met haar Heinz in hun rijtjeshuis in Bromma. Maar schijn bedriegt, want het bleek dat Ruth helemaal niet zo rustig en kalm was. Naar de familieverhalen te oordelen was ze juist een soort oerkracht die je beter niet voor de voeten kon lopen. Dit gaf aanleiding tot nogal wat conflicten met mijn oma, wat geen wonder was, omdat die ook heel goed weet wat ze wil. En deze twee vriendinnen hadden behalve hun temperament nog veel meer gemeen.

Net als mijn oma groeide Ruth op in een zeer gegoede familie. De eerste jaren van haar leven bracht ze door in Berlin-Grunewald, een villawijk die vanaf het eind van de negentiende eeuw door de Duitse aristocratie werd bewoond en die je zou kunnen vergelijken met Djursholm in Stockholm. Ruth was de jongste van vijf en woonde samen met haar drie zussen, haar broer en haar ouders in een zestienkamervilla met bedienden. Het gezin was goed geïntegreerd in de Duitse samenleving. De kinderen gingen naar een gewone lagere school en hadden veel goede niet-Joodse vrienden. Net als mijn oma leidden ze lange tijd een goed leven, maar in 1922, toen Ruth vier was, overleed haar vader en hij liet haar moeder achter met de zorg voor vijf kinderen. Een taak die er niet makkelijker op werd doordat het geld van de familie op hetzelfde moment waardeloos werd door de inflatie. Aanvankelijk konden ze het hoofd boven water houden door schilderijen, sieraden en andere bezittingen te verkopen. Maar op het laatst ging het niet meer, en in 1926 verkocht de moeder van Ruth de grote villa en verhuisde met haar gezin naar een zevenkamerappartement in Berlijn. Daar verhuurden ze kamers en serveerden ze het middagmaal, *Mittagstisch*, in hun woonkamer voor acht dagelijks terugkerende kostgangers. Dat was een wijdverbreid verschijnsel in die tijd in Berlijn en het betekende dat het gezin altijd geld had voor eten. Maar ook al zat hun onofficiële lunchrestaurant altijd vol, toch was het moeilijk om de eindjes aan elkaar te knopen. En in de loop der tijd moest de moeder van Ruth steeds meer bezittingen verkopen en met haar gezin naar steeds kleinere appartementen verhuizen.

Misschien kwam het door al die verhuizingen en veranderingen dat Ruth, in tegenstelling tot mijn oma, zo vroeg oog kreeg voor wat er in de samenleving om haar heen gebeurde. En dat ze veel eerder dan de meeste andere Duitse Joden besefte dat er geen plaats was voor mensen zoals zij. Wie zal het zeggen? Maar dat inzicht, gecombineerd met de wil om te ontkomen aan wat zij 'de oersaaie zondagse uitstapjes van de familie' noemde, was de reden dat ze al op elfjarige leeftijd lid werd van een zionistische jeugdorganisatie die emigratie naar Palestina als doel had. Iets waar ze thuis niet bepaald blij mee waren, vertelde ze.

'Het beviel mijn moeder helemaal niet dat ik zionist was, maar ze gunde ons een eigen leven en besefte dat ik een vriendengroep nodig had om mee op te trekken. Dus ze vond het goed.'

Daarna was het gedaan met de saaie familie-uitstapjes en Ruth bracht praktisch al haar vrije tijd door met haar vrienden van de jeugdbeweging.

'We maakten wandelingen in de natuur en praatten over Palestina,' vertelde ze. 'Daar draaide ons leven om. Om emigreren. Daar had ik me als elfjarige al op ingesteld. Ik wilde niet in Duitsland blijven wonen. Er was daar zo veel haat, al vóór Hitler. Ze bespuugden ons en schreeuwden dat we ongedierte waren en dat we naar Palestina moesten vertrekken. Ik weet nog zo goed dat ik al vroeg dacht: dit is geen leven.'

Behalve Ruths zus Ronny, met wie ze weinig in leeftijd scheelde, was er niemand in de familie die haar opvatting deelde. Alle ooms en tantes schudden hun hoofd om haar jeugdige onverstand. Dat ze dat geweldige land wilde verlaten waar de familie al zo veel generaties woonde. Wat een dwaasheid! Ze waren toch Duitsers, volledig geïntegreerd in de samenleving. De beste vriendinnen van Ruths moeder waren Duits en de twee oudste zussen van de kinderschare, Vera en Lily, hadden allebei een Duitse verloofde. En in de familie was niemand ook maar het kleinste beetje zionistisch. Nee, ze begrepen echt niet waarom dat koppige meisje wilde emigreren. Dit was hun thuis. En trouwens, legden ze haar uit, de populariteit van de nazi's zou snel afnemen. Ook al kregen ze de macht, dan kon dat soort lieden nooit lang blijven regeren. Zo veel kwaadwillendheid en haat, dat kon simpelweg niet. Ze moesten gewoon standhouden, want ze waren waarachtig niet van plan Berlijn te verlaten. En als dat tegen alle verwachtingen in toch zou moeten, dan zouden ze het pas doen als het echt niet anders kon. Met de allerlaatste trein.

Ruth dacht er anders over. Misschien omdat ze nooit betere tijden had gekend.

'Ik had niet dezelfde liefde voor mijn land als mijn moeder en mijn tantes, en ik was er rotsvast van overtuigd dat ik hier weg moest. Want als de Duitsers ons niet wilden, dan wilde ik hen niet.'

In de loop der tijd werd het alleen maar erger. In de jaren dertig werd de sfeer steeds onplezieriger. Gewone mensen werden nazi's en tussen 1932 en 1933 verscheen ook het bruine uniform. Voor Ruths familie waren de consequenties van de geëscaleerde Jodenhaat verwoestend. Veel van hun naaste vrienden wilden niets meer met hen te maken hebben en de verloofde van Ruths oudere zus Lily keerde zich tegen haar omdat ze Jodin was. Haar zus kwam nooit over dat verraad heen en maakte in 1932 een eind aan haar leven.

En toen ze opnieuw dachten dat het niet erger kon worden, vertelde Ruth, toen kwam Hitler aan de macht.

'Er werden grote fakkeloptochten gehouden toen ze de macht grepen, en overal hoorde je mensen "dood aan de Joden" schreeuwen. Al die onbeduidende figuren die verder nergens iets over te zeggen hadden, zoals de conciërge van onze flat. Nu hadden ze het gevoel dat ze ons konden bedreigen. Dat merkte je overal.'

Ze vertelde dat, terwijl het aantal bruinhemden op straat toenam, de moed van de Duitsers afnam. Toen de Joodse winkels werden geboycot, waren er eerst altijd nog wel een paar mannen en vrouwen die binnen durfden te komen om iets te kopen. Maar dat werden er steeds minder. En terwijl de wetten van de nazi's steeds strenger werden, lieten ook de naaste vrienden van de familie hen in de steek.

'Tante Henschen en mijn moeder waren van kinds af beste vriendinnen,' vertelde Ruth. 'Toen Hitler aan de macht kwam, werden haar broers nazi's en toen mijn moeder haar op een dag tegenkwam, zei ze dat ze niet meer met elkaar konden omgaan. We hadden haar al die jaren gekend en nu wilde ze niets meer met ons te maken hebben. Dat kwam hard aan bij mijn moeder.

Misschien wel het hardst van alles. Het geeft aan hoe de Duitsers werden. Ze durfden niets meer, en er waren maar heel weinig mensen met burgerlijke moed. Maar hoe vreselijk het ook was, het sterkte mij in mijn overtuiging dat ik het bij het rechte eind had dat ik het land wilde verlaten.'

Inmiddels had Ruth de lagere school afgemaakt. Het was de bedoeling dat ze naar een links georiënteerd gymnasium zou gaan, maar toen Hitler aan de macht kwam, werd die school meteen gesloten en de rector gearresteerd. Aangezien Ruths moeder haar met haar veertien jaar te jong vond om van school te gaan, meldde ze haar aan bij een Joodse huishoudschool.

'Het was een stomme en burgerlijke bedoening,' vertelde Ruth. 'Je moest een goede huisvrouw worden. Dat wilde ik niet. Ik wilde leren koken voor honderd mensen, want dat zou ik in de kibboets ook moeten doen.'

Ze ging tot en met 1934 naar school, toen was ze zestien en kreeg ze toestemming van haar moeder om met de *hashara*, de voorbereidingen voor emigratie, te beginnen. Een Joodse organisatie genaamd Hechalutz organiseerde 'kibboetsen' door heel Duitsland, waar je samen woonde en al werkend leerde wat je moest weten om het Palestijnse moerasland te bewerken. Daar zou Ruth haar man Heinz, mijn opa Ernst en Kiewe ontmoeten, en al die anderen die mijn familie zouden worden.

*

Terug op de boot, bijna tachtig jaar later, komt mijn vader terug in het restaurant om de resten op te eten die zijn kleinkind heeft laten staan. Het ontbreken van goedkope alternatieven heeft hem kennelijk in staat gesteld zijn principes een tikje te versoepelen en een iets meer kibboetsgeoriënteerde houding aan te nemen. En wanneer hij eenmaal is begonnen, lijkt de rest vanzelf te gaan. Want wanneer Leo's bord schoon is, gaat hij in snel tempo door met wat er van mijn eten over is.

'Jullie hebben het goed,' zegt hij tussen de happen door. 'Dat jullie zo vaak buiten de deur eten. Toen ik klein was, ging ik nooit uit eten.'

'Wij normaal gesproken ook niet,' zeg ik. 'Maar we hebben geen eten bij ons en er zijn geen supermarkten op de boot.'

'Kletskoek,' zegt mijn vader. 'Jullie eten altijd buitenshuis. Dat heb ik wel gezien. Pizza's en hamburgers en zo. Dat was in mijn tijd wel anders.'

Eerst word ik een beetje boos om zijn opmerking, maar dan moet ik toegeven dat hij waarschijnlijk gelijk heeft. Want ik denk niet dat mijn vader met zijn ouders naar een restaurant mocht. Hij mocht niet eens met hen mee op vakantie. Ze dumpten hem en zijn broer bij het Joodse vakantiekamp Glämsta, om vervolgens in alle rust van hun vrije tijd te genieten, zonder kinderen. Vergelijkbaar met hoe sommige mensen nu hun hond naar een pension brengen voordat ze naar het buitenland gaan.

Maar die mensen zien ook de duidelijke voordelen niet die een vakantie met kinderen heeft. Een daarvan is dat er vaak eten overblijft, waardoor je als volwassene niet met een lege maag naar bed hoeft. Zoals in dit geval, waarbij mijn vader zorgvuldig de schalen leegmaakt, waarna we vermoeid na een lange dag reizen naar onze hut gaan.

Daar maken we ons klaar voor de nacht. We trekken onze pyjama aan, poetsen onze tanden en kruipen in onze kooi. Daar liggen we, terwijl de boot ons meeneemt in een richting die tegengesteld is aan de route die onze familieleden eind jaren dertig probeerden te volgen, nadat hun dromen over Palestina in rook waren opgegaan. Nou ja, niet de hele familie. Er waren, zoals Ruth vertelde, veel familieleden die dachten dat de Hitlertijd van korte duur zou worden, en die wilden blijven wachten totdat de bruinhemden verdwenen waren. Die hun tanden op elkaar wilden zetten, standvastig wilden zijn en Duitsland niet wilden verlaten voordat dat absoluut noodzakelijk was, met de allerlaatste trein.

En dat deden ze ook, zei Ruth. Al haar tantes met hun mannen en kinderen. Ze namen de laatste trein. Maar die reed niet het land uit. Die reed naar de concentratiekampen van de nazi's.

11

Meneer Meier betaalt
de gesprekskosten

We worden om zes uur wakker, wanneer 'What a Wonderful World' van Louis Armstrong uit de luidsprekers in de hut stroomt. Het geluid uit- of zachter zetten kan niet. Dit is ons reveil. Het deelt ons mee dat het tijd is om op te staan, onze spullen in te pakken en de hut te verlaten. Dus er blijft ons niets anders over dan de slaap uit onze ogen te wrijven, ons aan te kleden en te gaan ontbijten.

De eetzaal biedt een veelbelovende aanblik. Op een aantal tafels staan allerlei gerechten klaar. Worst en spek, haring en muesli, Amerikaanse pannenkoeken en appeltaart en alles wat je 's ochtends maar zou kunnen willen eten. Mijn vader lijkt erg te spreken over het aanbod. Thuis worden er veel gezondere alternatieven geboden. Dat was altijd al zo, maar tegenwoordig nog meer vanwege de hartoperatie die hij een aantal jaren geleden heeft ondergaan. Zijn arts, een Jodin, was er heel duidelijk over dat hij na de ingreep alleen vetarm en gezond voedsel mocht hebben. Ze legde dat eerst aan mijn vader uit, maar besefte al snel dat de informatie aan een derde partij moest worden doorgespeeld om het gewenste effect te bereiken.

'U hebt toch een Joodse vrouw?' vroeg ze.

'Jazeker,' zei mijn vader.

'Uitstekend,' zei de arts. 'Vertelt u haar maar dat ik heb gezegd dat u vetarm en gezond moet eten, dan komt de rest vanzelf.'

Ze moet een goede dokter geweest zijn, want zo ging het precies. In ieder geval thuis, want daar eet mijn vader exact zoals je na een hartoperatie moet eten. Nou ja, in ieder geval zolang mijn moeder in de buurt is en hem donker brood laat eten en ovenschotels waarin ze stiekem de geraspte wortelgroenten verwerkt waar hij zo'n hartgrondige hekel aan heeft. Maar nu is ze er niet en mijn vader maakt van de gelegenheid gebruik om zijn bord zo vol te laden met spek en worst dat ik al bijna een hartinfarct krijg als ik er alleen maar naar kijk.

'Neem nog wat,' zegt hij tussen de happen door. 'Het is verrukkelijk.'

Het gaat allemaal enorm snel. Hij eet zijn eerste portie op, volgt daarna zijn eigen advies op en schept nog een hele berg op. Zelf heb ik niet zo'n trek en Leo ook niet, hij lijkt vooral te willen ontdekken hoeveel kleine kuipjes hij van het buffet kan jatten. Zijn gedrag is een natuurlijke voortzetting van een lange, nobele familietraditie. Mijn oma Sonja was de grote kampioene op dat gebied; ze nam van haar reizen altijd kleine eetbare cadeautjes voor de kleinkinderen mee. Ik denk dat het haar om de spanning te doen was, net als mijn zoon. Anders vond ze het altijd belangrijk zich correct te gedragen, en ze had zich beslist de ogen uit het hoofd geschaamd als ze was betrapt op het meesmokkelen van een kuipje sinaasappelmarmelade in haar handtas. Maar dat deed ze wel. En ze beperkte zich niet tot het ontbijtbuffet, maar richtte zich vooral op de miniatuurflesjes wijn en likeur die soms in hotels en vliegtuigen beschikbaar zijn. Maar ze dronk ze niet leeg. De flesjes belandden in een kast in oma's woonkamer waar ze stonden te verstoffen totdat ze op een dag besloot ze allemaal weg te geven.

Gelukkig viel dat besluit samen met een bezoek dat ik haar bracht. Oma moet tegen de tachtig geweest zijn en had net bedacht dat het 'een beetje stom' was om alcohol te verzamelen, wat erin resulteerde dat ik al haar flesjes mee mocht nemen naar huis.

Zelfs die keer dacht ik er niet over na waarom ze er zoveel had. Ik was vooral blij, neem ik aan. Het idee dat mijn oma een verzamelaarster was drong nooit tot me door. Weliswaar hadden zij en mijn opa een poppenhuis waar ze miniatuurmeubeltjes en inrichtingsaccessoires voor kochten, en waar zij alleen zelf aan mochten komen. En ze maakte nooit een reisje zonder met souvenirs thuis te komen. Maar pas na haar dood, toen mijn vader vertelde wat hij allemaal in haar overvolle kasten had gevonden, zag ik de omvang van haar verzamelwoede. Het had hem maanden gekost om alles te inventariseren en hij had zo veel siervoorwerpen en prullaria gevonden dat hij er bijna de kriebels van kreeg.

Als je nu de amateurpsycholoog wilt uithangen (wat je natuurlijk eigenlijk niet moet doen), kun je het verzamelen misschien zien als een vorm van compensatie voor alles wat mijn oma achter moest laten toen ze naar Zweden kwam. Ze had per slot van rekening haar hele jeugd in Berlijn doorgebracht. Daar had ze op school gezeten, daar had ze haar vrienden en voelde ze zich thuis. Toch zag ik haar nooit als een vluchteling of een buitenlandse. Waarom weet ik niet. Misschien omdat zij, in tegenstelling tot andere familieleden, samen met haar ouders en broers en zussen was gekomen. Of omdat ze nooit iets zei of deed waardoor ze anders leek. Mijn referentiekader was natuurlijk ook een beetje krom, omdat mijn oma Sonja in vergelijking met mijn andere grootouders op mij even Zweeds overkwam als het liedje over de kikkertjes dat we met midzomer zongen. Daarom dacht ik nooit na over haar verleden, omdat haar geschiedenis in het niet viel bij de veel ergere lotgevallen van andere familieleden.
    Toch is het niet niks om alles achter te laten wat je hebt en als negentienjarige opnieuw te beginnen in een ander land. Vooral in zo'n koud en ongastvrij land als Zweden in die tijd geweest schijnt te zijn voor iemand die anders was dan anderen. Bovendien hield mijn oma van Berlijn en wilde ze daar niet weg. Ik geloof ook niet dat ze besefte hoe erg het was wat er gebeurde. Volgens mijn vader stond ze bij de andere Duitsers op straat te schreeuwen en hoera te roepen toen Hitler voorbijkwam. Net als zo veel andere meisjes van haar leeftijd vond ze de leider van de nationaalsocialistische partij ontzettend knap.
    Dat is moeilijk te begrijpen. Zowel het schoonheidsideaal van die tijd, als hoe je als Jodin in het Duitsland van de jaren dertig

het nazisme níét als een bedreiging kon zien. Maar misschien was het gedrag van mijn oma puberale opstandigheid. Of het kwam doordat ze zo'n beschermd leven leidde, net als mijn oma Helga. Als je in zo'n zeepbel leeft en je ziet geen noodzaak om weg te gaan, dan mis je je oude leventje later waarschijnlijk nog veel meer.

Zoals veel andere familieleden ging oma na de oorlog een paar keer terug naar Berlijn. Hoe het voor haar was om de stad terug te zien waaruit ze was verjaagd, weet ik niet. Daar sprak ze niet openlijk over, en ik was toch al meer geïnteresseerd in de ansichtkaarten die ze stuurde en de cadeautjes die ze van het ontbijtbuffet in het hotel stal. Voor mij hadden die kleine kuipjes altijd iets magisch, alsof het een voorproefje was van een andere, spannende wereld die op me lag te wachten.

Naar het optreden van mijn zoon te oordelen heeft hij hetzelfde. En net als mijn oma steelt hij niet alleen voor zichzelf, maar ook voor de mensen thuis. Hij heeft goed nagedacht over wat hij hun wil geven. Zijn broertje van één krijgt kleine pakjes boter die hij met zijn handen kan eten. Het middelste broertje krijgt honing en Nutella, en natuurlijk moeten zijn moeder en zijn oma ook iets krijgen. Het is een geavanceerde operatie waarbij mijn zoon om het buffet heen draait als een haai om zijn prooi, terwijl hij af en toe zo discreet mogelijk een geschikt kuipje op zijn bord legt. Daarna gaat hij met zijn verzameling naar het tafeltje en wacht op de perfecte gelegenheid om ze veilig op te bergen. Hij is geen geroutineerde dief en heeft nog niet door dat je, als je iets illegaals wilt doen, het best zo normaal mogelijk kunt optreden. In plaats daarvan kijkt hij wantrouwend om zich heen, alsof hij zich ervan wil verzekeren dat er niemand naar hem kijkt, en schuift dan de gestolen waar snel onder een grote stapel servetten. Mijn vader kijkt geamuseerd toe.

'Vergeet niet te eten,' zegt hij. 'Je weet nooit wanneer je weer iets krijgt.'

Hij pauzeert even om een slok koffie te nemen en voegt er dan aan toe: 'Hoewel, als je bij jullie bent hoef je je daar op zich geen zorgen over te maken. Waarschijnlijk over een uurtje of twee.'

We eten nog wat, en dan komt er een mededeling door de luidsprekers dat het tijd is onze hut te ontruimen, zodat de schoonmakers die in orde kunnen maken voor de volgende lading reizigers. Dus ik laat mijn zoon en mijn vader achter in het restaurant en ga onze bagage halen.

De operatie Hut Ontruimen gaat snel. Onze bagage weegt niet veel, omdat ik veel plaats in mijn koffer heb vrijgehouden voor zowel gestolen waar als cadeautjes. Ik hoop vooral dat ik iets voor mijn oma zal kunnen vinden. Wat weet ik nog niet. Als het gebied waar wij naartoe gaan nog steeds bij Duitsland had gehoord, was het simpel geweest, want uit Duitsland wil ze maar twee dingen hebben:

1. *Pflaumenmus*, pruimenmoes dus. Een artikel waar je nooit te veel van kunt hebben, dat niet alleen lekker is, maar ook nog eens verbazingwekkend effectief tegen verstopping.
2. Een rood-oranjeachtige goedkope haarverf die alleen in bepaalde voordelige Duitse winkels verkrijgbaar is.

De laatste keer dat ik deze artikelen voor mijn oma Helga moest kopen, was toen ik twaalf jaar geleden Berlijn bezocht. Toevallig logeerde ik toen in de Pariserstrasse, op slechts een steenworp afstand van het appartement waar de ouders van mijn oma waren gaan wonen toen de situatie in hun woonplaats Schneidemühl onhoudbaar werd. Dat was in 1936, toen het gezin vanwege de nieuwe wetten hun bedrijf moest verkopen aan Ariërs. De koop werd snel gesloten. De vader van mijn oma kreeg een kleine aanbetaling en de rest zou naar zijn rekening worden overgemaakt. Maar aangezien zijn rekening werd geblokkeerd voordat de overboeking kon plaatsvinden, sprak hij met de kopers af dat hij terug zou komen om de rest van het bedrag contant te ontvangen. Maar zo liep het niet, want op de dag waarop hij Berlijn zou verlaten, kreeg het gezin een telefoontje uit hun oude woonplaats.

'Een kennis had de kopers met een paar SS'ers zien praten in een café,' vertelde mijn oma. 'Ze had gehoord dat ze mijn vader zouden arresteren wanneer hij kwam en hem in de gevangenis zouden gooien. Ze zei dat de kopers hadden gelachen en gezegd dat ze niet van plan waren die Jood ook maar één mark te geven. En onze kennis zei tegen mijn moeder, die de telefoon had opgenomen, dat ze mijn vader beslist niet moest laten vertrekken.'

Dus Leo Gumpert bleef in Berlijn. Maar algauw bleek dat hij daar ook niet veilig was. Niet nu de bal eenmaal aan het rollen was gebracht. De volgende dag stonden er al twee SS'ers bij het gezin voor de deur die naar hem vroegen. Mijn overgrootmoeder Margarete zei dat Leo weg was en dat ze niet wist hoe laat hij terug zou komen. De SS'ers namen genoegen met die informatie, maar droegen haar op het hun meteen te laten weten wanneer haar man thuiskwam.

Het gezin realiseerde zich dat Leo het huis moest verlaten; hij vertrok meteen en dook onder bij vrienden. In Berlijn blijven zou veel te gevaarlijk zijn, aangezien de SS'ers de volgende dagen een paar keer terugkwamen om naar hem te vragen. Hij moest dus vluchten, en ze besloten dat hij het best over de grens naar Tsjecho-Slowakije kon worden gesmokkeld. Om te voorkomen dat iemand argwaan zou krijgen, zouden ze een codezinnetje gebruiken om de familie te laten weten dat hij in veiligheid was.

'Het waren maar een paar woorden,' vertelde mijn oma. 'Iemand die belde en zei: "Meneer Meier betaalt de gesprekskosten." Maar voor ons betekende het alles, het betekende dat mijn vader het had gehaald.'

Leo kreeg het zwaar in Tsjecho-Slowakije. Hij kreeg geen werk- of verblijfsvergunning en moest in een hotel voor ongehuwde mannen in Praag logeren, waar zijn vrouw geld voor levensonderhoud naartoe stuurde. Het gezin zat al krap en door deze extra uitgaven werd hun leven in Berlijn er niet gemakkelijker op. Vooral niet omdat de situatie steeds dreigender werd.

'De Duitsers toonden hun haat nu openlijk,' zei mijn oma. 'Niemand leek meer problemen te hebben met wat er gebeurde. Alle mensen pakten wat ze krijgen konden, als uitgehongerde honden.'

En over uitgehongerde honden gesproken, het is nog steeds druk in de eetzaal wanneer ik daar met onze bagage terugkom. Mijn vader zit nog te eten, van zijn derde portie vermoed ik, terwijl mijn zoon intussen een indrukwekkende stapel gestolen waar heeft verzameld. Als goede vader help ik hem die in zijn tas te schuiven. Daarna kunnen we nog snel een kopje koffie nemen voordat er getoeterd wordt en omgeroepen door de luidsprekers dat het tijd is voor alle passagiers om in hun auto te stappen en zich klaar te maken voor vertrek.

'Het lijkt wel veevervoer zoals het hier gaat,' zegt mijn vader terwijl we de trap af lopen naar het autodek. 'De boot legt aan, er rijden auto's op en het vee wordt naar de boxen gebracht waar het mag rusten. Daarna wordt het uit grote gemeenschappelijke troggen gevoederd, terwijl hun box wordt schoongemaakt in afwachting van de volgende lading beesten. En dan gaan ze naar buiten. Als varkens op weg naar de slacht.'

'Maar wij gaan niet naar de slacht,' zeg ik.

'Dat weet je maar nooit,' zegt mijn vader. 'Daar rekenen die varkens ook niet op.'

12

Een uitweg vinden

Terwijl we wachten tot we van de boot af mogen rijden, probeert mijn vader het Poolse routebeschrijvingsprogramma te starten dat hij, op aanraden van zijn neef, voor onze reis heeft gedownload. Maar het lijkt niet echt te willen werken.

'Ik snap niet wat het probleem is,' zegt hij en hij prutst aan de telefoon.

'Dat maakt niet uit,' zeg ik. 'Ik heb een reisgids met een kaart. We hebben jouw programma niet nodig.'

'Ik vertrouw jou niet. Met jou weet je nooit waar je terechtkomt.'

'En ik vertrouw jouw telefoon niet.'

'Nee, nou, gids jij ons hier dan maar uit, dan zullen we eens zien hoe dat gaat,' zegt mijn vader.

En daar gaan we weer. We belanden weer in een van onze eeuwige discussies die, net als de strijd over de vraag of de mens van nature goed of slecht is, tot het einde der tijden zal duren. Deze keer gaat het over de techniek versus de mens. Mijn vader omarmt zonder enige reserve alle nieuwe techniek en vindt die geweldig, terwijl ik me sceptisch opstel ten opzichte van de meeste dingen waarvan ik denk dat ze op de een of andere manier inbreuk kunnen maken op de mate van mijn menselijkheid.

Ik kijk op de kaart om overzicht te krijgen over de situatie voor het begin van de tweekamp. Het ziet er eigenlijk niet zo moeilijk uit. Gdynia lijkt te bestaan uit een paar parallelle straten die langs de kust via de badplaats Sopot naar Gdańsk leiden. Maar dan rijden we de veerboot af en worden geconfronteerd met een stuk of tien wegen die alle mogelijke kanten op gaan.

'Nou?' zegt mijn vader.

'Wat?' zeg ik en ik kijk koortsachtig om me heen, aangezien de meeste van die wegen niet eens op mijn verder zo voortreffelijke kaart staan.

'Welke kant moet ik op?'

Ik kijk even op de kaart en zeg dan uit volle overtuiging: 'Rechtsaf.'

Eigenlijk heb ik geen idee. Maar dit is wel mens tegen machine. De toekomst van onze soort en de mensheid staan op het spel. Dan moet je toch een klein beetje mogen bluffen.

'Weet je het zeker?' vraagt mijn vader.

'Ja,' zeg ik. 'Vertrouw je me niet?'

'Natuurlijk wel, maar ik vertrouw mijn telefoon meer.'

En daar heeft hij waarschijnlijk gelijk in, want we rijden meteen een fout en komen terecht in een havengebied vol containers, hoge hekken en vijandig gezinde vorkheftrucks.

'Hij kan niet zo goed kaartlezen, die vader van je,' zegt mijn vader tegen Leo, wanneer we een straatje in rijden dat terug lijkt te voeren naar de Oostzee.

'Nee,' geeft Leo toe. 'Maar na een tijdje vindt hij het meestal wel.'

'Dat zeg je alleen om aardig te zijn.'

'Het is zo. Maar soms rij je eerst een tijdje rond.'

'Hoe lang dan, een uur?'

Leo haalt zijn schouders op.

'Dat weet ik niet precies,' zegt hij. 'Dat is verschillend.'

'Je bent een goede zoon dat je zo veel begrip hebt voor je vader,' zegt mijn vader. 'Dat maak je wel eens anders mee.'

'Hoe gaat het trouwens met het kaartlezen?' vraagt hij aan mij. 'We rotten nog weg als we hier veel langer blijven staan.'

'Eerste afslag op de rotonde,' zeg ik en ik wijs.

'Weet je het zeker?' vraagt mijn vader.

'Ja, hoor,' zeg ik stellig. 'Ik zie het op de kaart.'

Maar dat is niet waar, want nog geen procent van alle wegen in Gdynia staat in mijn waardeloze reisgids. En als een rechtstreekse consequentie hiervan (en van mijn leugentjes om bestwil) komen we steeds dieper het haventerrein in, totdat we uiteindelijk voor een dichte slagboom staan.

'Oeps,' zeg ik. 'Foutje. Maar nu weet ik in ieder geval welke kant we wel op moeten.'

Mijn vader draait zich om naar mijn zoon.

'Je hebt niks aan die man,' zegt hij.

'Welles,' kom ik ertussen voordat mijn zoon commentaar kan geven op de situatie.

'Ik begrijp niet hoe je in Azië de weg kon vinden,' gaat mijn vader verder. 'Zoals jij kaartleest, zou je nog ergens op de Tibetaanse hoogvlakte moeten zitten.'

Maar ik ben niet van plan me te laten provoceren. Absoluut niet.

'Eens kijken,' zeg ik rustig. 'We moeten gewoon dezelfde weg teruggaan en dan een grote straat langs de kust inslaan. Zo moeilijk kan dat niet zijn.'

Mijn vader mompelt iets over kinderen die denken dat ze alles weten en keert de auto. Daarna duurt het feitelijk maar twintig minuten voordat we terug zijn op de plaats waar we waren begonnen. Ik ben tevreden, maar mijn vader vindt dit helemaal geen bewijs voor de definitieve overwinning van de mens op de techniek. Hij stopt langs de kant en prutst aan zijn telefoon totdat hij zijn Poolse routebeschrijvingsprogrammaatje aan de gang heeft gekregen.

'Geef me nog een kans,' zeg ik, wuivend met de kaart. 'Nu weet ik precies hoe we moeten rijden.'

Maar dat wil mijn vader niet. Hij rijdt de weg op, volgt de instructies van zijn telefoon en in no time zijn we op de juiste plek. Het is gewoon verschrikkelijk.

'Ik denk dat we nu op de goede weg zijn,' zegt mijn vader vrolijk. 'Wat jij, kaartlezer?'

'Ja, ja,' zeg ik chagrijnig.

'En wiens verdienste is dat?' gaat hij verder en hij geeft zijn trouwe telefoon een klopje.

'Ja, ja,' zeg ik weer.

'Zonder mijn programma waren we nog steeds tussen die containers aan het rondrijden. Dan waren we overvallen en in een Poolse worst terechtgekomen.'

Dan geef ik het op en erken dat ik verslagen ben.

'Oké,' zeg ik. 'Jij had gelijk en ik had ongelijk.'

Het is een seconde of tien stil en dan zegt mijn vader: 'Kun je dat nog eens zeggen?'

'Wat?'

'Wat je net zei. Dat je ongelijk had.'

'Hou op,' zeg ik. 'Dat is gewoon stom.'

'Zeg het,' zegt mijn vader en hij kijkt me aan op een manier die me doet denken aan een hond die voor zijn voerbak zit te wachten totdat iemand 'toe maar' zegt.

'Ja, ja,' mompel ik ten slotte. 'Jij had gelijk en ik had ongelijk.'

'Nog eens.'

'Jij had gelijk en ik had ongelijk.'

'Luider en met meer gevoel. Alsof je het meent.'

Ik haal diep adem en schreeuw: 'Jij had gelijk en ik had ongelijk.'

Begeleid door het geschater van zijn kleinkind rijdt mijn vader verder door de drukke straten van Gdynia. Het is er vies en vol uitlaatgassen, en de wrakke gevels, de grote reclameborden en de afwezigheid van bomen doen me denken aan het decor van een wildwestfilm. Zo'n lange rechte straat, geflankeerd door vervallen huizen, met daarachter alleen woestijn.

*

'"Woestijnreizigers", dat schreeuwden de Duitsers ons na toen we in de kwekerijen werkten,' hoor ik Ruth, de schoonzus van mijn opa Ernst, zeggen. Haar stem staat op een oud cassettebandje dat ik een paar maanden voordat we aan onze reis begonnen heb beluisterd. Een opname die ze maakte voor een tentoonstelling in het Nordiska Museum halverwege de jaren negentig, ruim tien jaar voor haar dood.

Te oordelen naar wat ik op het bandje hoor, werden in die tijd steeds meer Joden lid van een zionistische organisatie. Vooral omdat ze dat als een mogelijke uitweg beschouwden. Want vertrekken was nog steeds toegestaan. De Duitsers waren nog niet met hun *Endlösung* op de proppen gekomen en vonden het allang best wanneer de Joden hun bezittingen achterlieten en verdwenen.

Een paar jaar lang moedigde de nazistische regering het opzetten van organisaties die emigratie ten doel hadden zelfs aan. De grootste hiervan, waar Ruth lid van was, heette Hechalutz en bereidde jongeren voor op vestiging in Brits Palestina. De Engelsen die het gebied beheersten, wilden daar landbouwers naartoe halen en Hechalutz wilde zijn leden in tuinderijen de vaardigheden laten opdoen die nodig waren om het nieuwe land te bewerken. Het was gewoon een kwestie van arbeidsimmigratie. De Engelsen wilden een bepaalde competentie, en de Joden zorgden dat ze die kregen om hun kans om weg te komen te vergroten. En naarmate de terreur van de nazi's toenam, werden organisaties zoals Hechalutz steeds populairder, want het was moeilijk om een inreisvisum te krijgen voor een ander land en de mensen klampten zich aan de weinige strohalmen vast die er waren.

Ook Ruths moeder en de andere kinderen, die eerder zo sceptisch tegenover haar zionistische activiteiten hadden gestaan, waren nu van de ernst van de situatie doordrongen. Het leven in Berlijn was uiteindelijk te moeilijk geworden voor hen, vertelt Ruth. Vooral voor haar geliefde oudere zus Vera.

'Ze had een relatie met een Duitse man, wat na de rassenwetten van 1935 strafbaar was. Ze hielden van elkaar, maar mochten niet bij elkaar zijn. Dat was levensgevaarlijk geweest, vooral nadat mijn zus van een dochtertje was bevallen.'

Dus de familie besloot een poging te doen het land uit te komen. De eerste die daarin slaagde was Ruths broer Theo, die dankzij zijn opleiding als radiotechnicus een arbeidsvisum kon krijgen voor Zuid-Afrika. Een van de laatste die aan Joden werden verstrekt.

Theo mocht in 1936 vertrekken, vertelt Ruth op de band, en hij kon als emigrant een verzoek indienen om een familielid over te laten komen. Hij wilde dat zijn moeder zou komen. Maar die weigerde.

De reden was dat Ruth nog in Duitsland was, en haar moeder vond haar veel te jong om alleen achter te blijven. Ruth was het daar niet mee eens, ze nam vrij van haar werk in de kibboets en reisde naar Berlijn om dat aan haar moeder duidelijk te maken. 'Ik vroeg haar het land te verlaten. Ik zei dat ik niet weer thuis zou komen en dat ik naar Palestina zou gaan, ongeacht wat zij deed. Of ze nou bleef of vertrok. Het duurde even, maar uiteindelijk stemde ze erin toe te vertrekken. Ze was toen zesenvijftig en kon niets meenemen. Maar dat gaf niets. Het belangrijkste was dat ze weg kon.'

Ruth vertelt dat ze eeuwig dankbaar is dat haar moeder zich liet overhalen. Want het hield niet alleen in dat ze het zelf overleefde, maar ook dat haar moeder er later voor kon zorgen dat Ruths zus Vera met man en kind naar Zuid-Afrika kon gaan.

In januari 1938 was Ruth als enige van de kinderen nog in Duitsland. Maar ze voelde zich nooit eenzaam. Ze had haar vrienden in de kibboetsbeweging en zou bovendien al snel haar toekomstige man Heinz ontmoeten, en mijn opa Ernst.

Aangezien Ernst relatief jong is overleden en voor zover ik weet nooit met een woord heeft gerept van wat hij had meegemaakt, heb ik zijn geschiedenis moeten reconstrueren aan de hand van wat Ruth, Heinz en hun vrienden hebben verteld. Vooral over zijn leven in Zweden. Hoe de jeugd van mijn opa geweest is, daar weet ik heel weinig van, maar ik kom iets meer te weten over zijn late tienerjaren wanneer ik een video-opname in handen krijg die zijn broer Heinz in 1997 heeft gemaakt, toen hij drieëntachtig was. Op de film, waar ik naar kijk bij een vriend die zijn videorecorder nog niet heeft weggedaan, zie ik de oude man in zijn woonkamer zitten en rustig tegen de camera praten. Dit is waarschijnlijk een paar jaar voordat hij dement werd, want Heinz is glashelder wanneer hij vertelt over wat hun is overkomen. Dat hij van school af moest, werd geslagen door de nazi's en als negentienjarige door de SA werd opgehaald en tijdens vier weken slavenarbeid moest helpen met de bouw van een concentratiekamp bij Breslau.

Wanneer ik daar zit te luisteren naar de oude man met zijn

kale hoofd en couperose op zijn wangen, komt de zesjarige zoon van mijn vriend de woonkamer binnenrennen en gaat voor de tv staan.

'Wie is dat?' vraagt hij, wijzend naar Heinz.

'Dat is de broer van mijn opa,' zeg ik.

'Wat praat hij raar.'

'Hij is Duits,' zeg ik. 'Zodoende.'

'Is hij dood?'

'Ja.'

'Is hij in de oorlog gestorven?'

'Nee,' zeg ik. 'Maar ze zouden hem vermoord hebben als hij in Duitsland gebleven was. Dus toen is hij in Zweden komen wonen.'

De zoon van mijn vriend denkt hier even over na.

'Hij heeft grappige lippen,' zegt hij dan, hij maakt een paar ruftgeluiden en rent naar buiten om te gaan voetballen.

Ik blijf in de woonkamer zitten en speel de film van voren naar achteren af om elk woord te horen dat Heinz zegt.

Ik begrijp al snel dat hij en mijn opa lang niet zulke overtuigde zionisten waren als Ruth. Het ging hun er niet zozeer om in Palestina te komen, als wel om Duitsland te verlaten. Waarom ze uitgerekend lid werden van de Hechalutzbeweging weet ik niet. Misschien gewoon omdat daar plaats was. En de twee broers kwamen in een kibboets in Augsburg bij München terecht. De plaats waar Heinz de vrouw ontmoette op wie hij verliefd werd en die spoedig zijn vrouw zou worden.

'Ruth en ik zijn bijna meteen getrouwd,' zei hij. 'Want als je getrouwd was, mocht je met zijn tweeën op één uitreisvisum reizen. Zo ging dat. Ze deden er alles aan om de mensen weg te krijgen.'

In Augsburg woonden ze in een voormalige brouwerij. Met zijn negenendertigen, elf vrouwen die de huishouding deden en kookten, en achtentwintig mannen die op tuinderijen en wijngaarden in de omgeving werkten. De meesten waren, net als mijn familieleden, academisch geschoold en niet gewend aan dat soort werk. Maar ze leerden snel. En naar ik heb begrepen ontsnapten ze dankzij het kibboetsleven een tijdlang aan veel pesterijen waaraan de Joden in hun woonplaats blootgesteld werden.

'Het was daar beter dan in Breslau,' hoor ik Heinz zeggen. 'Het was een katholieke plaats en de katholieken hadden een minder grote hekel aan ons dan de protestanten.'

Het enige probleem, meende hij, was dat ze in een slaapzaal sliepen en dat er geen plaats was voor echtparen, zoals hij en Ruth, om bij elkaar te slapen. Dus toen hun vriend Günter vertelde dat ze in zijn kibboets in Heilbronn een eigen kamer konden krijgen, aarzelde het jonge stel geen seconde. Ze verhuisden en namen mijn opa Ernst mee. Ze zaten in totaal met z'n vijftienen in Heilbronn, dertien mannen en twee vrouwen. In de zomer en de herfst van 1938 werkten ze in de tuinderijen in de omgeving, terwijl ze wachtten op een visum voor Palestina dat nooit kwam, terwijl alle Joodse bezittingen werden geregistreerd, er een J in hun pas werd gestempeld en de vrouwen 'Sara' aan hun naam moesten toevoegen en de mannen 'Israel'. Daar werkten mijn opa, zijn broer, Günter en Kiewe, terwijl Joodse firma's in het hele land tot gedwongen verkoop overgingen en de herfst langzaam ten einde liep, en de dag naderde die niemand die de Holocaust heeft overleefd kan noemen zonder een angstige blik in de ogen te krijgen.

*

Ruim negenhonderd kilometer ten noordoosten van Heilbronn vervolgen mijn vader, mijn zoon en ik onze roadtrip langs de Poolse kust. De omgeving wordt steeds lieflijker, hoe verder we komen. Er zijn minder auto's en meer bomen, en de huizen zijn mooier. Dan rijden we door een groot park en wanneer we daar aan de andere kant weer uit komen, is het net of we ons in een andere, mooier opgepoetste wereld bevinden. Dat komt doordat we bijna bij de toeristische badplaats Sopot zijn. We besluiten een stop te maken bij de zee, en ik probeer mijn vader kleine tips te geven waar hij kan afslaan, maar hij luistert niet meer naar me.

'Niet na dat gedoe in de haven,' zegt hij.

'Dat was domme pech,' zeg ik. 'Omdat ze zoveel hebben verbouwd voor het EK voetbal.'

'Zeg het,' zegt mijn vader.

'Wat?'

'Wat je eerder zei. Dat je ongelijk had.'

'Schei uit,' zeg ik.

'Dat is het minste wat je kunt doen na wat daar is voorgevallen. Wie weet wat er gebeurd was als die Polen in hun vorkheftrucks ons te pakken hadden gekregen.'

Leo kijkt me met een geïnteresseerde uitdrukking op zijn gezicht aan, alsof hij benieuwd is wat ik ga doen: een grote mond opzetten of het erbij laten. Of zijn vader terug zal vechten of zich gewonnen zal geven. De puber in mij wil het eerste, maar ditmaal is mijn volwassen deel de baas.

'Oké,' zeg ik. 'Jij had gelijk en ik had ongelijk.'

Mijn vader knikt voldaan.

'Je hoort het, Leo,' zegt hij tegen mijn zoon. 'Het is een geluk dat jullie mij en mijn telefoon hebben.'

Daarna slaat hij een heel andere zijstraat in dan ik gekozen zou hebben, die helaas perfect blijkt te zijn voor ons doel.

13

Kristallnacht

We vinden een omheind parkeerterrein achter enkele toeristen-
hotels waar we de auto neerzetten en slenteren vervolgens naar
het hokje dat op het terrein staat om te betalen. Daarin bevinden zich twee mannen, de ene zit achter een tafeltje en de tweede staat ernaast. We geven hun wat Pools geld en krijgen een
bankbiljet terug. Net wanneer we weg willen lopen, valt mijn vaders oog op de schitterende, grote barbecue die naast het hokje
staat. Met zijn lange schoorsteen doet hij denken aan een kleine
stoomlocomotief. Hij heeft een aantal verschillende rekjes en je
kunt er ook op roken. Geen wonder dat hij geïnteresseerd raakt.

'*Do you know where I can buy this kind of grill?*' vraagt hij aan
de twee mannen in het hokje.

De twee Polen kijken star voor zich uit, alsof ze hem helemaal
niet horen.

'Kunnen ze geen Engels?' vraagt mijn vader.

'Het lijkt er niet op,' zeg ik. 'Maar je mag mijn Poolse woordenboek wel lenen als je wilt.'

Dat wil hij niet. Hij besluit het in een andere taal te proberen.

'*Entschuldigen Sie,*' zegt hij. '*Wissen Sie wo ich diesen Grill kaufen kann?*'

Wanneer hij ook ditmaal geen antwoord of oogcontact krijgt,
doet mijn vader wat hij altijd doet wanneer mensen in andere
landen niet verstaan wat hij zegt. Hij herhaalt het, maar dan veel
harder. 'WISSEN SIE WO ICH DIESEN GRILL KAUFEN KANN?'

Maar zelfs dat mag niet baten. De mannen zeggen geen woord.

Ze reageren niet eens. We geven het op en laten hen achter in hun hokje en lopen langzaam de treden af die een eindje verderop naar zee leiden.

'Raar dat ze geen Duits verstonden,' zegt mijn vader even later. 'Dat leer je toch op school?'

'In Zweden wel, ja,' zeg ik. 'Maar hier misschien niet.'

'Ja, maar toch. Dat leer je toch?'

'In Zweden, ja,' herhaal ik. 'Maar misschien zijn ze hier niet zo dol op Duitsers. Ze zijn wel hun land binnengevallen en hebben bijna een vijfde van de bevolking vermoord.'

'Ja, maar toch,' zegt mijn vader. 'Het is toch wel slecht, vind ik. Vooral met het oog op het toerisme.'

Daar weet ik niets op te zeggen en we dalen zwijgend de treden af. Leo springt voor ons uit als een berggeit terwijl wij van de oudere generaties een iets lager tempo aanhouden.

'Maar het was slim van die sikkeneurige types om een hek om hun terrein te zetten en geld te vragen aan de mensen die daar parkeren,' zegt mijn vader.

'Zeker,' zeg ik.

'Als het donker wordt, veranderen ze het vast in een nachtclub. Dan zetten ze palen neer en laten ze schaars geklede meisjes opdraven.'

'En dan verkopen ze worst,' vul ik aan. 'Die ze roosteren op die fantastische barbecue.'

'Ja, precies,' zegt mijn vader. 'Je weet hoe de Polen zijn.'

Maar dat weten we natuurlijk niet. We hebben geen flauw idee, aangezien onze kennis over hen zeer beperkt is en gebaseerd op de antisemitische verhalen van de familie en op een paar karikaturen van Poolse timmerlieden die naar Zweden komen om te werken. Maar net als de meeste andere mensen die van een onderwerp weinig weten, hebben we enorm stellige meningen over hoe het daarmee gesteld is. Het is een merkwaardige tegenstelling, die koppeling tussen onkunde en overtuiging. Hoe minder we weten, des te meer we menen te weten. Daarom zal het wel zo gemakkelijk zijn om mensen wier achtergrond je niet kent verkeerd te begrijpen en te lachen om hun rare gedrag. Zoals je bij veel van mijn familieleden zou kunnen doen.

Want het is maar wat gemakkelijk om de spot te drijven met de neiging anderen eten te willen opdringen en met overbezorgde moeders die zo veel eten in de vriezer hebben dat je er niet één maar twee wereldoorlogen mee door zou komen. Maar dan krijg je inzicht in wat ze hebben meegemaakt en wordt hun gedrag opeens volstrekt logisch. In mijn familie, waar men zelden openlijk over het verleden sprak, zag je de sporen in heel kleine dingen. Zo kon het gebeuren dat iemand tijdens het koken een naam noemde en daarna berustend de schouders ophaalde en zei: 'Hij is vermoord' op een manier die je het idee zou kunnen geven dat ze zojuist hadden geklaagd dat de soep nogal zout was. Of dat een kennis van mijn oma Helga toen ze wilde gaan afwassen de mouw van haar bloes opstroopte en je haar kamptatoeage zag. Dergelijke kleine aanknopingspunten waren er continu, voor wie de tijd nam om beter te kijken. Zoals op de foto in het huis van Ruth en Heinz in de wijk Bromma. Op het eerste gezicht week die niet af van andere foto's die daar aan de muur hingen. Het was gewoon een jeugdfoto van de broer van mijn opa, die rond de twintig geweest moet zijn. Hij droeg een bril en zijn haar was keurig gekamd. Niets bijzonders aan. Maar als je de foto van het haakje haalde en hem van dichtbij bekeek, zag je dat hij, in tegenstelling tot hun andere portretten, gekreukt was. En als je op het idee was gekomen om Ruth te vragen hoe dat kwam, had je meteen inzicht gekregen in wat dit sympathieke en rustige oude echtpaar had meegemaakt.

Ruth zou hebben verteld dat de foto werd verfrommeld op de avond van 9 november 1938. De nacht die de geschiedenis in zou gaan als de Kristallnacht – de climax van wat een lange, vreselijke dag was geweest. 's Ochtends kwam de Gestapo mijn opa, zijn broer en de elf andere jongemannen van de kibboets halen en bracht hen naar hun hoofdkwartier in Heilbronn. Toen Ruth erachter kwam wat er was gebeurd, ging ze met haar vriendin Henny rechtstreeks naar het politiebureau om te vragen of ze 'hun jongens' mochten spreken. Ze probeerde van alles; ze zei dat ze hun kleren moest brengen en dat ze toiletgerei en tandenborstels nodig hadden. Maar de mannen van het bureau lachten

alleen maar en zeiden dat ze de spullen daar konden achterla-
ten. Ruth had geen keus, gehoorzaamde en keerde terug naar de
kibboets. Ze was bang en wist niet wat ze moest doen. Toen ze
ruim zestig jaar later over die dag vertelde, leek het haast wel of
ze nog steeds in shock was. Alsof wat er gebeurd was zo onwer-
kelijk was dat het niet tot haar doordrong.

'We waren volkomen onvoorbereid op wat er gebeurde,' zei ze.
'We hoorden al snel dat de synagoge in brand stond. Dat nieuws
ging als een lopend vuurtje door de stad. Maar we wisten niet
dat ze overal in Duitsland in brand stonden. En dat dit van ho-
gerhand was georganiseerd. Dat hadden we nooit van de Duitsers verwacht.'

Toch was dat nog maar het begin, een klein voorproefje van
wat er zou komen. De volgende schok kwam toen Ruth en haar
vriendin diezelfde avond bezoek kregen van de SS en een grote
groep mensen uit de omgeving.

'Ze stormden naar binnen met bijlen en sloegen de hele boel
kort en klein,' vertelde ze. 'Onze meubels, onze ramen en onze
deur. En ze bespuugden Henny en namen mijn foto van Heinz
mee, de enige die ik had, ze maakten er een prop van en gooiden
die uit het raam. Het was verschrikkelijk. De enige die ons probeerde te helpen was de buurvrouw. Ze schreeuwde dat we twee
gewone meisjes waren en dat ze ons met rust moesten laten. Dus
toen sloegen ze haar ruiten ook in, ook al was ze geen Jodin.'

Toen de meute eindelijk wegging liep Ruth de tuin in om de
foto van haar man te zoeken. Het duurde even, maar uiteindelijk
vond ze hem, nam hem mee naar binnen en streek hem glad.

De volgende dag gingen zij en Henny terug naar het hoofdkwartier van de Gestapo en kregen te horen dat hun mannen op
transport waren gezet naar het concentratiekamp van Dachau.
Ruth schrok en probeerde van de mannen op het bureau gedaan
te krijgen dat ze hen mocht bezoeken. Maar wat ze ook zei, het
haalde niets uit. Ze had net zo goed tegen een muur kunnen praten. Toen deed Ruth iets wat af en toe bovenkomt in gesprekken
in de familie wanneer haar enorme besluitvaardigheid en moed
ter sprake komen. Ze vroeg de Gestapo hun ramen te repare-
ren. Zij. Een achttienjarige Jodin, wier man zojuist naar het con-

centratiekamp was afgevoerd. De dag na de Kristallnacht. En de Gestapo deed wat ze vroeg.

Zij en Henny gingen daarna elke dag naar het politiebureau om te vragen of ze bij hun mannen op bezoek mochten. Ze waren wanhopig en zeiden dat ze niet voor zichzelf konden zorgen, dat ze bang waren en zich niet meer veilig voelden. Maar het enige wat er gebeurde was dat de mannen aanboden hen in *Schutzhaft* te nemen (waar Ruth beleefd voor bedankte).

Maar hun inspanningen waren niet helemaal verspilde moeite, want ze kwamen iets belangrijks te weten: dat de mannen waarschijnlijk uit het kamp zouden worden vrijgelaten wanneer Ruth en Henny een inreisvisum voor een ander land konden regelen. Het probleem was dat daar bijna niet aan te komen was. Vier maanden eerder nog maar waren er op verzoek van president Roosevelt vertegenwoordigers van tweeëndertig landen bijeengekomen om de noodsituatie van de Duitse Joden te bespreken. En de ene regering na de andere, waaronder de Zweedse, had gezegd dat ze tot hun spijt niets konden doen.

Een visum krijgen voor mijn opa, zijn broer en hun vrienden zou daarom niet makkelijk zijn, en het was de vraag of het het proberen waard was. Vooral toen een nieuwe en veel eenvoudiger uitweg zich aandiende: Ruths moeder in Zuid-Afrika, die een verzoek wilde indienen om haar dochter daarheen te halen. Die maatregel zou inhouden dat ook Heinz uit het kamp kon worden vrijgelaten, aangezien de twee getrouwd waren. Ingaan op de uitnodiging van haar moeder zou een handige manier zijn voor Ruth om zichzelf en haar man te redden, maar het zou tevens inhouden dat mijn opa en de andere elf mannen van de kibboets in Dachau achterbleven.

*

Ruim zeshonderd kilometer verderop, in Berlijn, schudde de Kristallnacht alle Joden wakker die eerst zo sceptisch hadden gestaan tegenover het verlaten van het land. Dat er iets niet in de haak was, viel mijn oma Helga pas op toen ze op weg naar school mensen hoorde schreeuwen dat de synagoge in brand stond. Ze liep snel door. Maar het werd al snel duidelijk dat dit geen dag zou worden als alle andere, vertelde ze.

'Toen we op school kwamen, riep de directrice alle meisje bijeen in de aula en vertelde wat er was gebeurd. Dat er in Berlijn achtendertig synagogen waren afgebrand en dat de nazi's alle Joodse mannen hadden opgehaald.'

Vervolgens zei de directrice tegen de meisjes dat ze heel voorzichtig moesten zijn en ze stuurde hen twee aan twee naar huis. Toen mijn oma naar huis liep, zag ze dat de ruiten van de Joodse winkels waren ingeslagen. Ze was doodsbang en voelde zich erg opgelucht toen ze eindelijk bij het huis van haar ouders in de Pariserstrasse kwam. Een gevoel dat echter niet lang standhield.

'Toen ik binnenkwam, was alleen mijn broer daar,' zei ze. 'Ze waren gekomen om de mannen te halen. Maar omdat papa gevlucht was, namen ze in zijn plaats mama mee. Mijn broertje en ik waren als enigen over.'

14

Ga maar lekker spelen!

De treden komen uit in een groot, groen park. We lopen erdoorheen en komen bij de zee. Hier strekt zich zo ver het oog
reikt een mooi zandstrand uit. Een strand dat met zijn barretjes
en cafés meer aan Thailand doet denken dan aan een land in
Noord-Europa. Het enige wat er nog aan ontbreekt zijn palmen,
sarongs en magische paddenstoelen.

We lopen snel naar het dichtstbijzijnde tentje, waar ik blijf
staan en met behulp van mijn woordenboek het menu probeer
te duiden.

'Heb je nu alweer honger?' roept mijn vader uit. 'Dat slaat nergens op. We hebben net gegeten.'

'Ik heb geen honger,' zeg ik. 'Ik kijk alleen even.'

'Dat zal wel,' antwoordt mijn vader ironisch. 'Geef het maar
toe. Je hebt een lintworm. Zo'n heel lange.'

'Ik kijk alleen of ze hier soep hebben. Die schijnt hier heel lekker te zijn.'

'Hè,' zegt mijn vader, die in de schaduw aan een van de tafeltjes
van het café gaat zitten. 'Ik wil geen soep.'

'Nee,' antwoord ik, 'jij wilt natuurlijk hamburgers en worst.
Dingen waarvan je denkt te weten wat erin zit.'

'En wat is daar mis mee?' reageert mijn vader. 'Alleen omdat ik
niet zo'n snob ben als jij.'

'Ik ben geen snob. Ik wil alleen iets nieuws proberen.'

'Ik niet.'

'Nee, dat heb ik ook door.'

Ik word weer chagrijnig, maar probeer het gevoel te onderdrukken. Want het is hier zo mooi. Rustig en kalm, met de golven die op het strand slaan. Dus ik besluit boven al het gekibbel te staan en wat meer boeddhistisch begripvol van aard te zijn.

'Wil je koffie?' vraag ik.

'Ik wil cola,' antwoordt mijn vader resoluut en daar gaan mijn boeddhistische ambities. Het moet genetisch bepaald zijn, want ik kan me gewoon niet bedwingen.

'Wil je echt zulke rommel drinken?' zeg ik. 'Dat spul is een en al suiker en kleurstoffen.'

'Nu klink je weer net als mijn vrouw,' zegt mijn vader. 'Ik dacht dat dit een vakantiereis moest worden. Maar het zal wel mijn eigen schuld zijn dat ik met jullie twee op pad ben gegaan, terwijl jullie alleen maar ruften en boeren en mij continu vertellen wat ik moet doen.'

'BURP,' klinkt er van de kant van Leo, die met een bijna perfecte timing de argumentatie van mijn vader ondersteunt. Maar daar lijkt onze oudste reisgenoot helemaal niet blij mee te zijn.

'Wat vies!' roept hij uit.

'Dat was geen echte boer,' legt mijn zoon uit.

'Dat maakt niet uit. Het is toch vies.'

'Dat heb ik van Danny geleerd. Die doet dat zo vaak.'

'Tja,' zegt mijn vader moedeloos. 'Van die jongen kun je ook niet beter verwachten.'

'Het is supermakkelijk,' gaat Leo verder. 'Je doet gewoon zo.'

Hij ademt een nieuwe lading lucht in, slikt en laat daarna een voorbeeldige boer. Lang en luid.

'Dank je,' zegt mijn vader. 'Zo kan ie wel weer.'

Maar Leo begint pas. En terwijl mijn vader, met een gekwelde uitdrukking op zijn gezicht, gedwongen wordt getuige te zijn van nog een paar orale gasvormingen loop ik naar de kiosk om een cola voor hem te halen.

'We willen een eindje over het strand lopen,' zeg ik dan. 'Ga je mee?'

'Nee.'

'Weet je het zeker?'

'Ik blijf hier zitten,' antwoordt hij en hij neemt een paar slokken frisdrank. 'Gaan jullie maar lekker spelen.'

Dan trekt hij zijn reclamepet over zijn ogen en leunt achterover om te rusten of misschien te slapen. Ik trek mijn zwembroek aan en sjok naar het water met Leo.

We zwemmen even en lopen een eindje over het strand en gooien steentjes in zee. Het is een prettige onderbreking van het voortdurende gekibbel met mijn vader. Ik begrijp niet waarom we dit doen. Misschien is het echt genetisch bepaald. Of we zijn het gewoon niet gewend zo lang samen te zijn, en misschien voelen we ons er ook niet gemakkelijk bij. Wie zal het zeggen? Maar het is geen ongecompliceerde relatie, de ouder-kindrelatie. Dat besef ik wel. Vooral niet aangezien die continu verandert, en dat op een manier dat je niet altijd weet hoe je ermee moet omgaan. Het is een relatie zoals geen enkele andere in je leven. Eentje die ermee begint dat je de verantwoordelijkheid op je neemt voor een individu dat zelf niets kan. Dus je zorgt voor hem. Je geeft hem je liefde en je steun. Je geeft hem een schone luier, je troost hem wanneer hij schreeuwt en wiegt hem wanneer hij 's nachts niet kan slapen. Zo verstrijkt de tijd, het kind groeit op en wordt steeds zelfstandiger, en dat gaat zo snel dat je het bijna niet kunt bijbenen. Hij leert lopen en praten en voor je er erg in hebt, zit hij op school. En terwijl dit gebeurt, verandert je rol als ouder. Eerst had je de volledige verantwoordelijkheid voor het overleven van dit persoontje, maar nu moet je kleine stapjes terug doen en hem de steun geven die hij nodig heeft om op eigen houtje met de wereld in contact te treden. Het is niet heel makkelijk om de stap te zetten van de ene situatie naar de andere. Niet wanneer je iemand als pasgeborene in je armen hebt gehouden en getroffen bent door het inzicht dat er niets belangrijkers is om voor te zorgen dan dit weerloze kleine individu. Ook al weet je dat degene die ooit een zuigeling was nu groot is geworden en heel andere behoeften heeft dan toen. Want ook al is het moeilijk om behoedzaam zoiets hulpeloos als een baby vast te houden, hem voorzichtig loslaten is minstens zo moeilijk.

*

Mijn oma Helga werd in haar jeugd heel lang heel behoedzaam vastgehouden, maar toen ze werd losgelaten gebeurde dat snel, hard en zo plotseling dat een heel leven niet genoeg was om dat te verwerken. Maar zover zijn we nog niet. Nu was het Kristallnacht in Berlijn, mijn oma was alleen thuis met haar broertje en ze hadden geen idee wat ze moesten doen. Hoe lang ze met zijn tweeën in het appartement hebben gezeten weet ze niet meer, maar voor haar gevoel waren het jaren. De dag waarop ze zaten te wachten op het bericht of ze ouderloos waren geworden of niet.

Die keer hadden ze geluk. Toen Margarete Gumpert werd weggevoerd, was ze op straat een Duitse agent tegengekomen die een kennis van het gezin was, en op de een of andere manier was hij erin geslaagd de SS'ers over te halen haar vrij te laten. Niemand weet hoe dat in zijn werk is gegaan en wat de agent heeft gezegd, maar ze dankten hun gelukkige gesternte dat hij daar was geweest en in tegenstelling tot vele anderen de moed had gehad hen te helpen.

De moeder van mijn oma besefte wel dat hun geluk niet heel lang kon duren. Niemand geloofde meer dat het beter zou worden. Vooral niet omdat de Joden als groep de schuld kregen van de Kristallnacht en ze niet alleen moesten opruimen na de verwoesting, maar ook een miljard mark aan schadevergoeding moesten betalen. Een besluit dat op zijn beurt het startschot werd voor de meest omvangrijke en doortrapte, door de staat geënsceneerde plundering die de wereld tot dan toe had aanschouwd. Het begon ermee dat er systematisch beslag werd gelegd op de privébezittingen van de Joden en het eindigde ermee dat hun gouden vullingen werden gesmolten, er sokken werden gemaakt van hun haar en kunstmest van hun lichamen.

Het zou echter nog een paar jaar duren voordat het Joodse recyclingsysteem dit übereffectieve niveau had bereikt. Nu was het dus kort na de tiende november 1938 en mijn overgrootmoeder Margarete was, net als alle andere Berlijnse Joden, tot het inzicht gekomen dat ze weg moesten zien te komen. Maar dat was niet gemakkelijk. In ieder geval niet voor de volwassenen. Daarentegen diende zich korte tijd later een mogelijkheid aan voor kinderen onder de zestien om Duitsland te verlaten. Er was een organisatie die Movement for the Care of Children from Germany heette, die na het uitoefenen van enige druk toestemming had gekregen voor een zogenaamd Kindertransport van tienduizend vluchtelingenkinderen naar Groot-Brittannië. De maatregel, waarin veel onderzoekers een compensatie zien voor de harde politiek van Londen in het Palestinamandaat, leidde ertoe dat ook andere landen een quotum voor Joodse vluchtelingenkinderen schiepen. Zweden was een van de landen die onder druk van Groot-Brittannië akkoord gingen met het opnemen van vijfhonderd kinderen, maar alleen op voorwaarde dat de Joodse gemeente alle kosten voor haar rekening zou nemen en garandeerde dat de kinderen in financieel opzicht niet ten laste van de Zweedse samenleving zouden komen.

Mijn overgrootmoeder Margarete meldde haar kinderen aan voor een Kindertransport naar een aantal verschillende landen, en ze had geluk. Haar zoon kreeg een plaats op een transport naar Engeland en vertrok eind 1938. Hij was nog maar dertien, maar zodra de oorlog uitbrak, zou hij liegen over zijn leeftijd om in het Engelse leger te kunnen gaan om tegen de Duitsers te vechten. Zo erg haatte hij ze.

Ook Onkel Philip en tante Hilde slaagden erin te vluchten. Met behulp van een zakenrelatie kwamen ze in Zweden terecht, en van daaruit gingen ze met de trans-Siberische spoorlijn verder naar de Verenigde Staten. Voor mijn oma Helga duurde het langer, maar in mei 1939 kreeg ze eindelijk een plaats op een Kindertransport naar Zweden.

De laatste keer dat ze haar ouders zag was op het station vlak voordat de trein naar Sassnitz zou vertrekken. Haar vader was een maand daarvoor teruggekeerd naar Berlijn. In zijn vrijgezellenhotel in Praag had hij wakker gelegen en uit het raam gekeken, en Duitse agenten over straat zien aankomen. Hij maakte de andere vluchtelingen meteen wakker, zei dat de Duitsers eraan kwamen en dat ze weg moesten. Aangezien hij van mening was dat Berlijn op dat moment veiliger was dan Praag, keerde hij terug naar de plaats waar hij eerder uit was weggevlucht. Maar hij kon niet bij zijn gezin logeren, dat zou te gevaarlijk geweest zijn. Dus dook hij onder, en verplaatste zich van het ene adres naar het andere, van de ene kennis naar de andere. Daarom stonden hij en mijn overgrootmoeder die vierde mei 1939 op verschillende plaatsen op het perron hun dochter uit te zwaaien.

Misschien vermoedden ze toen al dat ze haar nooit weer zouden zien, dat ze hun meisje voor altijd wegstuurden. Ik weet het niet, en mijn oma evenmin, ook al heeft ze er veel over nagedacht in al die jaren die zijn verstreken sinds de trein vertrok uit Berlijn.

Het is een vreselijke keuze om te maken. Je kind alleen naar een vreemd land sturen, zonder te weten of je achter haar aan zult kunnen komen. Dan was de keuze waar Ruth in Heilbronn voor stond een stuk simpeler. Vooral omdat ze nooit van plan was geweest om in te gaan op het aanbod van haar moeder om naar Zuid-Afrika te komen. Hoe zou ze dat ook kunnen? Dat zou inhouden dat ze mijn opa en de andere mannen van de kibboets in de steek liet. En dat zou ze zichzelf nooit kunnen vergeven, vertelde ze veel later.

Zij en haar vriendin Henny namen de trein naar Berlijn en bezochten het hoofdkantoor van de Hechalutzbeweging. Daar aangekomen hoorden ze dat er een mogelijkheid bestond om een visum aan te vragen voor tijdelijk werk in de landbouw in Engeland en Zweden. Beslissen voor welk land ze zouden aanvragen was moeilijk, vooral omdat het de toekomst van alle dertien mannen in het kamp zou beïnvloeden. Dus Ruth dacht goed na en deed vervolgens wat haar het veiligst leek.

'We beseften dat de vrede niet zou duren,' vertelde ze. 'Dat begrepen we toen we zagen hoe blij de mensen in Heilbronn waren toen het Duitse leger door de stad marcheerde om delen van Tsjecho-Slowakije te annexeren' (die Hitler had 'gekregen' volgens de afspraak waarvan de Engelse premier Chamberlain dacht dat die een garantie was voor 'vrede in onze tijd'). 'Ze juichten en gooiden bloemen naar de soldaten,' ging Ruth verder, 'en we dachten: dit komt nooit goed. Het wordt oorlog, dat kan niet anders. De wereld kon zich niet afzijdig houden van wat de Duitsers deden. En als het oorlog werd, zou Engeland meedoen. Dat wisten we zeker. Dus we dienden een verzoek in voor Zweden. We wisten niets van het land, alleen dat het er koud was en dat het zo ver weg lag dat het ook het einde van de wereld had kunnen zijn.'

De twee jonge vrouwen gingen naar het Zweedse consulaat in Berlijn en kregen daar te horen dat Zweden onlangs toestemming had verleend voor honderdvijftig extra doorreisvisa voor leerling-boeren. Dat was, dacht Ruth, omdat de Zweden dachten dat ze zelfvoorzienend zouden moeten worden als het oorlog werd en daarom meenden dat ze behoefte hadden aan goedkope arbeidskrachten. Maar het maakte haar niet uit waarom die visa er waren. De hoofdzaak was dat ze weg konden. Dus ze diende haar aanvraag in en het lukte. Ze kregen hun paspoort en het visum dat inhield dat alle leden van de kibboets – als ze zich goed gedroegen en geen politieke uitspraken deden – het recht kregen om twee jaar lang op het platteland van Skåne te werken.

Toen het allemaal rond was, reisden Ruth en Henny terug naar Heilbronn en wachtten totdat hun mannen vrijgelaten zouden worden uit het kamp. Het werd een lange periode van gespannen wachten. Pas ruim vijf weken later kwam de eerste van hen vrij.

'Ze zagen er vreselijk uit,' zei Ruth. 'Ze stonken naar het ontsmettingsmiddel en hun hoofden waren kaalgeschoren. Maar we waren vreselijk blij dat we hen terug hadden. De man die het eerst werd vrijgelaten lieten we nog geen minuut alleen. En nadat hij had verteld wat ze hadden doorstaan, waren we nog blijer dat we een visum voor Zweden hadden gekregen.'

Binnen een periode van twee weken werden de overige twaalf vrijgelaten. Mijn opa en zijn broer kwamen op 27 december vrij. Het had weinig gescheeld of ze waren het kamp helemaal niet uit gekomen. Ze hadden bevroren tenen, en de nazi's lieten geen gevangenen vrij met bevriezingsletsel (want dat zou hun een slechte pers kunnen opleveren).

'We waren hun te slim af,' vertelde Heinz tijdens een familie-etentje. 'We maakten warme en koude baden voor elkaar totdat je de bevriezing niet meer kon zien. Toen mochten we eruit.'

Toen de broers eenmaal vrijgelaten waren uit Dachau, moesten ze het land snel verlaten. Ze konden nog net afscheid nemen van hun vader in Breslau, voordat ze samen met Ruth en enkele andere leden van de kibboets op de trein naar de havenstad Sassnitz stapten. Ze mochten niet veel meenemen, alleen een tas met kleren en tien mark. Op de rest legde de Duitse staat beslag. Maar dat was van minder belang. De hoofdzaak was dat ze gauw bij zee zouden aankomen, de boot zouden nemen en Duitsland achter zich zouden laten.

*

Leo en ik staan bij dezelfde zee, iets meer dan tweehonderd kilometer oostelijker, en we kijken dezelfde kant op als onze familieleden die nacht. In de richting van wat hun toevluchtsoord zou worden. Een land dat zo ver weg lag dat de wereld daar net zo goed had kunnen ophouden. Het land waar wij zijn opgegroeid en dat ons thuis is.

We zwemmen nog even, kleden ons dan aan en lopen terug naar mijn vader, die nog steeds achterovergeleund zit met zijn reclamepet over zijn ogen.

'Aha,' zegt hij. 'Zijn jullie uitgespeeld? Kunnen we nu gaan?'

15

Kindertransport

We verlaten het strand en lopen terug naar de auto om onze weg naar Gdańsk te vervolgen. Nadat we een tijdje in stilte hebben gereden zet Leo de radio aan en vindt mooie, klassieke pianomuziek. 'Dit zou jouw vader kunnen spelen. Weet je dat wel, Leo?' vraagt mijn vader.

'Misschien als ik wat zou oefenen,' zeg ik. 'Ik speel al een hele tijd geen klassiek meer.'

'Hij zat continu te pingelen toen hij zo oud was als jij,' gaat mijn vader verder. 'Allerlei stukken. Hij was heel goed.'

'Nou ja,' zeg ik. 'Zo goed was ik nou ook weer niet.'

'Jawel,' zegt mijn vader, 'en dat kwam doordat je naar de gemeentelijke muziekschool mocht gaan. Dat had ik ook wel gewild.'

'Je kunt het nu toch leren?' stel ik voor. 'Je bent gepensioneerd en je hebt alle tijd van de wereld.'

Mijn vader reageert met gesnuif op dat onverstandige commentaar.

'Ik heb helemaal geen tijd,' zegt hij dan. 'Ik moet een heleboel doen. Ik moet het huis op het platteland afmaken. En ik moet onze verhuizing plannen en de hond uitlaten.'

'En tv-kijken,' opper ik.

'Dat ook,' geeft mijn vader toe. 'En trouwens,' gaat hij verder, en hij richt zich weer tot mijn zoon, 'ik heb al eens geprobeerd piano te leren spelen. Ik had boeken besteld waarin stond hoe het moest. Maar het was zo moeilijk, en bovendien maakte je vader me belachelijk toen ik het probeerde.'

'Dat is toch niet zo?' protesteer ik.

'Jawel, dat is wel zo. Je zei dat ik er niets van kon.'

'Zei ik dat echt?'

'Je weet niet hoeveel geluk je had dat je een instrument mocht leren bespelen,' zegt mijn vader. 'Wat had ik dat graag gewild toen ik kind was. Maar wij hadden geen piano waar ik op kon oefenen. Dus ik zeurde mijn vader aan z'n hoofd dat we er een moesten hebben. En uiteindelijk gaf hij toe en zei dat hij er een zou huren als ik met een goed rapport thuiskwam.'

'En kreeg je een goed rapport?' vraagt Leo.

'Nou, voor alle zekerheid stelde ik een contract op waarin stond dat mijn vader zich verplichtte voor een piano te zorgen als ik goede cijfers haalde. Maar toen werd hij vreselijk boos en weigerde te ondertekenen. Hij vroeg of ik hem soms niet op zijn woord geloofde. Toen heb ik mijn moeder gevraagd om namens hem te ondertekenen.'

'En is het gelukt?' vraagt Leo.

'Ik deed keihard mijn best en kreeg een goed rapport.'

'Maar geen piano, zeker?' vraag ik, want ik heb dit verhaal eerder gehoord.

'Nee. Mijn vader was erg boos en zei dat hij mij nooit iets dergelijks had beloofd. En ik liet het wel uit mijn hoofd om hem de getekende overeenkomst onder de neus te houden. Anders had ik ook nog een pak slaag gekregen.'

Het verhaal over de piano is een van de weinige anekdotes die ik ken over mijn grootvader als ouder. Een tweede verhaal is dat hij mijn vader leerde fietsen door hem op het hoogste punt van een drukke, steile weg los te laten. In een derde episode kwam hij met het verkeerde kind thuis toen hij zijn zoon uit de kleuterschool zou halen. Over de tijd voordat hij vader werd weet ik nog minder. Hoe zijn jeugd was, hoe hij de nazi-jaren ervoer en hoe hij erin was geslaagd Zweden binnen te komen. Maar wat ik wel weet is dat mijn grootvader een actieve keuze moet hebben gemaakt om hier te komen. Niet zoals mijn oma, die door haar ouders op de trein werd gezet. Een trein die ze later zou beschrijven als een rijdende hel.

Met dat Kindertransport reisden honderden kinderen tussen de een en de vijftien jaar oud. Ze hadden allemaal hun gezin achtergelaten en mochten, net als volwassenen die vertrokken, niets van waarde meenemen. Tien mark, een tas met kleren en eten voor vierentwintig uur. Al had mijn oma wel iets meer, aangezien haar moeder drie van haar kostbaarste sieraden in marsepein had verpakt die ze in een pakje koekjes in de tas van haar dochter had gestopt.

Dit is een heel belangrijk verhaal voor mijn oma, dat we in de familie minstens duizend keer hebben gehoord en waar ze keer op keer op terugkomt. Wanneer ze dat doet, laat ze iets van haar harde façade vallen en dan komt er iets in haar stem wat tegelijkertijd broosheid, gelatenheid en woede is.

'We zaten met drie oudere meisjes in de trein en wij moesten op de kleintjes letten,' vertelde ze. 'Op een gegeven moment had een klein jongetje in zijn broek gepoept, dus ik nam hem mee om hem een schone luier aan te doen. Toen stopte de trein, er kwamen Duitse soldaten de coupé binnen die *"Juden raus"* schreeuwden. Het jongetje kreeg de schrik van zijn leven en riep om zijn moeder. Ik probeerde hem te troosten, maar de soldaten bleven maar schreeuwen en toen werd het nog erger. Ik probeerde uit te leggen dat ik het jongetje moest verschonen. Maar dat kon hun niets schelen. Ze schreeuwden dat we de trein uit moesten. Ik weet niet eens meer waarom, misschien wilden ze ons fouilleren.'

Toen dat gebeurde, lag het pakje koekjes met de sieraden op het tafeltje in de coupé, en zonder dat ze goed wist wat ze deed, bood mijn oma de soldaten een koekje aan. Ook al wist ze dat het een zeer ernstig misdrijf was om waardevolle spullen Duitsland uit te smokkelen.

'Ik vroeg of ze een koekje wilden,' zei ze. 'Ik weet niet waarom. Maar het jongetje schreeuwde zo en ik wist van angst niet wat ik moest doen.'

Er waren twee soldaten in de coupé. Een van hen stak zijn hand uit en wilde net een koekje pakken toen hij door zijn collega werd tegengehouden.

'Hij zei dat hij niets in zijn mond moest stoppen wat door vieze Joodse vingers was aangeraakt,' vertelde mijn oma. 'Dus ze namen geen koekje. Het pak bleef daar op het tafeltje liggen terwijl de soldaten ons naar buiten brachten. Ze hebben mijn moeders sieraden nooit gevonden.'

Ik weet niet of mijn oma beseft hoeveel geluk ze heeft gehad. Als ze de kostbaarheden hadden gevonden, was haar reis hoogstwaarschijnlijk toen geëindigd, en had ze in Duitsland moeten blijven samen met de andere Joodse kinderen, van wie slechts tien procent de Holocaust zou overleven.

Toen mijn oma me van die treinreis vertelde, zei ze dat ze niet veel meer wist van na het moment waarop de soldaten de coupé binnen waren gekomen. Alleen dat ze op de boot naar Zweden borden zag waar 'juden' op stond en dat dat haar een doodsschrik bezorgde.

*

Inmiddels waren mijn opa Ernst en zijn groep ruim drie maanden in Skåne, en net als mijn oma Helga waren ze aanvankelijk enorm geschrokken van al die borden met 'juden' die ze zagen.

'We dachten dat het net zo was als in Duitsland,' zei Heinz. 'We waren gewend aan borden met "verboden voor honden en Joden". We schrokken ons dood toen we die ook in Zweden zagen. Maar toen we met de trein uit Trelleborg vertrokken, kwam er een Zweedse man naar ons toe. Hij sprak Duits en had gehoord waar we het over hadden, en hij zei dat we ons geen zorgen hoefden te maken. Want er stond geen "juden" op de borden, maar "förbjuden" – verboden.'

Net als mijn oma hadden mijn opa en zijn vrienden bij aankomst gebrek aan geld. Daarom gingen ze meteen naar het kantoor van Hechalutz bij Hässleholm, waar ze het adres kregen van een grote boerderij bij Skurup waar ze al de volgende dag aan de slag konden.

'Ze hadden vierhonderd koeien die we van 's ochtends half vijf tot 's avonds borstelden en molken,' vertelde Heinz. 'Het was zwaar en moeilijk werk. We hadden nooit eerder een koe gezien, maar we leerden het wel.'

Dit was het begin van een lange periode van hard werken

voor weinig geld. Mijn opa en de andere mannen kregen twee kronen per dag, terwijl de vrouwen genoegen moesten nemen met een vergoeding in de vorm van melk en aardappelen. Ze kregen gratis huisvesting in een barak met een aarden vloer waar ze met zijn allen op een kluitje zaten. Het was er primitief en koud, aangezien het gebouw niet geïsoleerd was en er zo veel ruimte tussen de planken zat dat je door de muren naar buiten kon kijken.

De winters waren het ergst. Ze hadden het altijd koud, ze verdwaalden in sneeuwstormen op weg van en naar het melken en waren een paar keer bijna bezweken. Aan de kou en aan koolmonoxidevergiftiging, veroorzaakt door de ijzeren kachel waarin ze cokes stookten in een poging de barak warm te houden.

Naast het werk deden mijn opa Ernst en zijn broer in die periode een paar eerste pogingen om Zweeds te leren. Maar ze konden niet oefenen, vertelde Heinz, aangezien de andere arbeiders niets met hen te maken wilden hebben.

'Ernst en ik begrepen niet waarom niet. Pas veel later beseften we dat wij veel minder betaald kregen dan de anderen. Daarom hadden ze zo'n hekel aan ons, omdat wij voor minder werkten dan de Zweden die het toch al zo moeilijk hadden. We werden dus uitgebuit, maar we waren toch blij, omdat we uit Duitsland weg waren en omdat we het hadden overleefd.'

Het was maar goed ook dat ze die instelling hadden, want het volgende jaar in Zweden ging op dezelfde manier verder. Met onderbetaald werk op het platteland van Skåne. Het was een eentonig bestaan. Om de zes weken waren ze een zondag vrij, maar voor de rest werkten ze. Iedereen had weinig geld en probeerde genoeg bij elkaar te schrapen om iets naar de achtergebleven familieleden in Duitsland te kunnen sturen.

Dus het was zeker een hard leven, maar na een tijdje werd het beter. Vooral nadat ze het geploeter op de boerderij verruild hadden voor werk op een tuinderij.

'We werkten bij verschillende tuinders in de omgeving en hadden tweedehandsfietsen gekocht waarop we van de een naar de ander reden,' vertelde Ruth. 'Vaak was het meer dan vijfentwintig kilometer fietsen, maar dat was goed te doen. We huurden een gemeubileerde kamer met elektrisch licht in Ramlösa Brunn van goede, betrouwbare mensen en we kregen 's zondags vrij. Dat was geweldig.'

De rust duurde echter niet heel lang, want op 9 april 1940 zagen mijn familieleden Duitse Messerschmittvliegtuigen met swastika's erop geschilderd boven Zuid-Zweden vliegen.

'We waren doodsbang en besloten dat we weg moesten,' zei Ruth. 'Dat was verboden voor ons, maar daar trokken we ons niets van aan. We waren bang voor de Duitsers, en bang om in een concentratiekamp terecht te komen.'

*

Het enige waar mijn vader, mijn zoon en ik op dit moment bang voor hoeven te zijn is dat we verkeerd rijden, maar zelfs dat gebeurt niet. Na een tocht die niet lang en ook niet enerverend is, bereiken we Gdańsk, waarna we ons door de telefoon naar het oude scheepswerfeiland laten dirigeren waar ons hotel moet staan. Sinds het ontstaan van het navigatieprogramma zijn de wegen enigszins verlegd en we moeten een omweg maken om bij het hotel te komen, maar uiteindelijk lukt ook dat. We rijden het parkeerterrein op voor een etablissement dat duizend keer exclusiever is dan iets wat ik zou boeken als ik in mijn eentje op reis was. Het is een mooi, oud, bakstenen pakhuis dat is gerenoveerd, modern ingericht en veranderd in een chic hotel met uitzicht op de oude binnenstad van Gdańsk. Eigenlijk is het te deftig voor me, maar wat moet je als je in overeenstemming met de tien geboden je vader een beetje wilt eren? Een ontbijtbuffet is natuurlijk bij de prijs inbegrepen. Want gij zult uw vader niet al te lang laten wachten op het volgende buffet.

16

Een meester in overbeschermen

We checken in, zetten de koffers in onze kamer en gaan de stad in. Het weer is omgeslagen. Het regent en het is nogal fris, maar dat houdt ons niet tegen. We nemen de pont naar de oude binnenstad en sjokken door de toeristische winkelstraten die in het grauwe weer nog het meest doen denken aan een uitgebreide versie van de Västerlånggatan in Stockholm.

Van de jongere generaties heeft niemand bepaald een tophumeur. Leo heeft honger en ik ben nogal prikkelbaar. Een emotionele toestand die er niet beter op wordt als mijn vader om de haverklap zijn telefoon pakt om op het scherm aan te wijzen waar we ons precies bevinden.

'Dat weet ik,' zeg ik boos bij de derde keer dat hij dat doet. 'We hebben ook nog maar honderd meter gelopen.'

'Moet je zien,' zegt hij enthousiast en hij wijst naar het scherm. 'Je kunt precies zien hoe we gelopen zijn. Dat is toch fantastisch?'

'Ja,' zeg ik zonder te kijken. 'Gewéldig.'

'Maar kijk dan.'

'Ik weet waar we zijn,' zeg ik. 'Ik kan het hotel hiervandaan zien, verdomme.'

'Ach, je begrijpt dit niet,' zegt mijn vader.

Tegen mijn zoon zegt hij: 'Kijk eens, Leo.' Maar helaas krijgt hij van zijn kleinkind niet meer respons dan van zijn zoon. Hij slaakt een diepe zucht en vraagt dan: 'Wat mankeert hem nou weer?'

'Misschien weet hij ook waar we zijn,' opper ik.

Maar mijn vader geeft het niet zomaar op wanneer hij iets interessants te vertellen heeft.

'Hier komen we vandaan,' zegt hij en hij wijst op het scherm. 'En hier zie je hoe we vanaf het hotel gelopen zijn.'

'Kun je de robotstem niet aanzetten?' stel ik een tikje gekscherend voor. 'Dan kunnen we ook nog horen hoe we lopen.'

Maar dat vindt mijn vader helemaal niet leuk.

'Was dat nou nodig?' zegt hij chagrijnig. 'Zonder dit apparaatje zaten we nu nog in Zweden. Zeker zoals jij kaart leest.'

Ik neem aan dat we allemaal moe zijn, want ik voel dat mijn vader en ik elkaar langzaam op de zenuwen beginnen te werken. Dat zou op zich geen verrassing moeten zijn, want zo gaat het altijd wanneer we samen zijn. En als we onder normale omstandigheden elkaar al ergeren wanneer we even koffiedrinken, hoe moet dat dan wanneer we zoals nu vijf hele dagen door moeten zien te komen? Daarom is het misschien goed dat de reis veel korter is geworden dan ik me oorspronkelijk had voorgesteld. Mijn eerste idee was namelijk dat we een lange roadtrip zouden maken in het kielzog van de familie, van tien dagen of meer. Een reis waarop we naar Berlijn reden en vervolgens een aantal plaatsen bezochten die iets te maken hebben met onze familie in Duitsland en Polen voordat we ten slotte naar het huis van mijn overgrootvader gingen. Maar dat wilde mijn vader niet, hij zei dat dat hem te veel werd en dat hij niet zo lang bij zijn hond weg wilde. Hoe ik ook zeurde, het hielp niet. Vijf dagen, zei hij, dat was voor hem het maximum. Ik had een beetje de smoor in omdat ik had gedacht dat we, als drie Joodse musketiers, een epische reis zouden maken naar het hart van ons verleden. Een grootse, romantische odyssee van het soort waar liederen over worden geschreven. Maar nu we eenmaal op reis zijn, moet ik toegeven dat het verstandig was van mijn vader om niet op mijn voorstel in te gaan. Vijf dagen op elkaars lip is waarschijnlijk het uiterste wat we aankunnen. Het is een vreemde paradox. Dat je je zo kunt ergeren aan iemand van wie je tegelijkertijd zoveel houdt.

Hoe dan ook, we lopen een beetje sikkeneurig verder door de druilerige stad op zoek naar iets eetbaars. Ik wil echte Poolse kost. Pierogi en stoofschotels met paddenstoelen en worst. Maar mijn vader niet. Hij wordt als door een onzichtbare kracht naar de kitscherige toeristische restaurants in deze straat getrokken. We lijken wel twee doelzoekende robots zoals we naast elkaar lopen. Eentje die zoekt naar een klein, eenvoudig zaakje, en eentje die is ingesteld op internationaal eten en een menukaart in vijf talen. Uiteindelijk vinden we iets ertussenin, een toeristisch restaurant met traditioneel eten, en daar bestellen we bij nurkse serveersters deegpakketjes met kool, kaas en spek, die zo vet zijn als drie hartinfarcten met extra slagroom.

'Dit is niet veel bijzonders,' zegt mijn vader na een paar happen. 'Een hoop kouwe drukte om niks.'

'Ik vind ze lekker,' zeg ik.

Maar dat is niet waar. Deze vettige excuses voor dumplings zijn een regelrechte teleurstelling en ze liggen als een blok op de maag. Ik had meer zoiets verwacht als de meesterlijke hapjes van de Italianen en de Chinezen. Maar dat ga ik nu niet toegeven. Om geloofwaardig over te komen schep ik nog een lading deegachtige vetbommen op.

'Wat vind jij ervan, Leo?' vraagt mijn vader wanneer hij mijn zoon in de half opgegeten dumplings ziet prikken.

'Ik kan niet meer op,' zegt mijn zoon en hij kijkt me smekend aan.

Dat zegt echt wel iets. Want Leo stelt zich niet aan als het niet nodig is. Hij eet alles, van kippenpoten tot vissenogen.

'Ik krijg het niet weg,' gaat hij verder. 'Ik heb het gevoel dat ik moet overgeven.'

'Dat geeft niet,' zeg ik en ik pak de dumplings van mijn zoon en leg ze op mijn bord. 'We kopen straks wel iets anders voor je als we hier weg zijn.'

Dan stop ik nog een deegpakketje in mijn mond en slaag er na enig doelgericht kauwen in dat ook met succes door mijn keel te krijgen. Mijn vader kijkt geamuseerd toe.

'Maar jíj vindt het in ieder geval lekker,' zegt hij op een toon die duidelijk maakt dat hij precies weet wat ik aan het doen ben.

'Absoluut,' zeg ik en ik schep een nieuwe lading op van de schaal. 'Al zijn ze misschien niet helemaal zo lekker als ik had gedacht.'

'Ik vind mama's knoedels lekkerder,' zegt mijn vader.

'Ik ook,' zegt Leo.

'Oké,' zeg ik en ik leg mijn vork neer. 'Ik ook. Maar het was toch leuk om het uit te proberen?'

'Ik was liever naar de McDonald's gegaan,' zegt mijn vader.

'Ik ook,' zegt mijn zoon.

We blijven nog even wat zitten kletsen in het restaurant en zijn al met al bijna beschaafd. Maar dan verdwijnt Leo naar de wc en ontspoort de discussie van mij en mijn vader al snel. Voor ik er erg in heb, word ik er opeens van beschuldigd een overbezorgde ouder te zijn.

Daar ben ik natuurlijk nijdig om en ik vraag me even af of ik een sneer moet uitdelen in de trant van dat je je kind nog niet te veel beschermt als je tijd aan hem besteedt. Maar dat doe ik niet. Ik hou mijn mond. Wanneer ik erover nadenk, besef ik natuurlijk wel dat ik in vergelijking met mijn vaders vader een meester in overbeschermen ben.

Ik heb nooit begrepen hoe slecht de band tussen die twee was, dat werd me pas na de dood van mijn opa Erwin duidelijk. Want voor mij was hij altijd aardig. Hij liet me paardje rijden op zijn rug, ging met me eendjes voeren en leerde me tafeltennissen. Allemaal dingen die hij met zijn eigen zonen niet deed. Die mochten hun mond nauwelijks opendoen, want bij hen thuis werd aan kinderen niets uitgelegd en mochten ze nergens over meepraten. Nee, kinderen moest je zien maar niet horen, ze moesten zich netjes gedragen en mochten volwassenen niet tegenspreken. Anders kregen ze slaag. Dat kwam vaak voor, soms omdat ze iets hadden gezegd wat als aanstootgevend werd beschouwd, of soms zomaar voor alle zekerheid, als een soort licht psychotische preventiemethode.

Zo bekeken is het misschien niet zo vreemd dat de kinderen geen van allen bepaald dol waren op hun vader. Al heeft mijn vader dan in ieder geval nog geprobeerd het gedrag van zijn vader te verklaren door aan te nemen dat hij waarschijnlijk als kind zelf ook was geslagen. Door zijn vader, Hermann Isakowitz.

*

Het mag waar zijn dat mijn vader niet beschermd is opgevoed en mijn kinderen wel, maar mijn oma Helga met haar chauffeur en gouvernante werd pas echt in de watten gelegd. In ieder geval in het begin. Dat veranderde echter snel, en toen ze op 5 mei 1939 in Zweden kwam, was het voorgoed afgelopen met die beschermde opvoeding. Het prinsesje uit Berlijn was een assepoester geworden en zou als zodanig behandeld worden. En wanneer mijn oma vertelt over wat er gebeurde nadat ze in Stockholm was aangekomen, wordt ze telkens weer ontzettend kwaad.

'We kwamen in huis bij een vreselijke vrouw uit de Joodse gemeente,' zei ze. 'Ze gedroeg zich als een generaal en zei dingen waar ik bang van werd. Die stomme koe snapte niets van wat er in Duitsland gaande was, of van wat wij hadden doorstaan.'

Via die vrouw, voor wie mijn oma duidelijk niet heel veel respect had, werd ze naar een oudere Joodse man gestuurd bij wie ze als hulp in de huishouding moest werken. Dat was nooit de bedoeling geweest van de Kindertransporten, maar veel van de gezinnen die de kinderen opnamen besloten hen uit te buiten als gratis werkkracht in plaats van hen naar school te sturen. Dat overkwam mijn oma, en daar is ze nog steeds verbitterd over. Ze had dokter willen worden. Een ander punt dat ze vaak noemt wanneer ze over die tijd vertelt, is de kou. Net als mijn opa Ernst had ze veel last van de koude winters.

'Ik moest vaak de halve stad door lopen om boodschappen te doen,' vertelde ze. 'Ik had het zo koud, want ik had geen warme kleren of geld om kleren te kopen. Een keer leende ik een paar lange kousen van de dochter van de man bij wie ik inwoonde. Ze heette Anna en was een paar jaar ouder dan ik. Toen ik die dag thuiskwam, was ze razend en noemde me een dief. Toen ik zei dat ik de kousen alleen maar had geleend omdat ik het zo koud had, schold ze me uit en vroeg wat ik had gedaan met al het geld dat haar vader mij gaf. Maar ik kreeg geen geld. Geen cent. Ik mocht niet eens fruit van hen pakken. Een keer deed ik dat toch, aangemoedigd door Anna, en toen zette haar vader de fruitschaal in een kast, sloot die af en verstopte de sleutel.'

Na een halfjaar hield mijn oma het niet langer uit en ze deed haar beklag bij de Joodse gemeente. Ze ging er niet graag heen, omdat ze zich naar haar idee niets aantrokken van vluchtelingen en er niet het minste belang bij hadden haar te helpen. Bovendien vond ze dat het hun schuld was dat ze niet verder kon studeren, omdat ze de kant van de oude baas hadden gekozen toen hij vond dat mijn oma te oud was om naar school te gaan. Al vraag ik me af of het echt zo simpel was. De Joodse gemeente kreeg per slot van rekening geen enkele hulp van de staat of de plaatselijke overheid, maar was alleen verantwoordelijk voor alle kosten van de kinderen. Waarschijnlijk waren ze zo dankbaar dat er voor de kinderen gezorgd werd dat ze zich niet druk maakten om kleinigheden als niet naar school gaan of onbetaald huishoudelijk werk doen.

En wat mijn oma ook van de gemeente vond, ze bezorgden haar wel een plaats in een ander gezin. Ditmaal kwam ze terecht bij de Gordons, die later de naam zouden geven aan de autoradiofirma van mijn opa Ernst. Daar werkte ze ook als hulp in de huishouding, maar nu kreeg ze wel betaald. Bovendien behandelde het gezin haar goed. Ook al begrepen ze volgens haar 'geen donder' van wat er buiten Zweden gebeurde.

Het was een moeilijke tijd, vertelde oma. Ze was altijd bang. Bang voor wat er in Duitsland gebeurde. Bang dat de Duitsers zouden komen en bang voor alle mensen met nazistische sympathieën die ze in Zweden zag.

'Veel Zweden waren openlijk nazistisch,' vertelde ze. 'Ze vonden Hitler goed. En een heleboel mensen verdienden geld aan de handel met de Duitsers. De rest snapte er niets van.'

Ook nu, op haar negenentachtigste, kan ze zich nog zo opwinden wanneer ze het erover heeft dat je zou denken dat ze elk moment uit haar vel zal springen. Ze vloekt als een bootwerker, noemt Stockholm een 'boerengat' en heeft het zo vaak over dat 'verdomde Zweden' dat je bijna niet zou geloven dat je een vrouw voor je hebt die al bijna vijfenzeventig jaar in dit land woont.

Wanneer ze zo bezig is, krijg ik soms het gevoel dat ze eigenlijk boos is omdat haar leven haar is ontnomen. Omdat ze een schat had die iemand haar heeft afgepakt. Het contrast met mijn opa is groot, omdat hij en zijn vriendenclub bijna alles gedaan zouden hebben om uit Duitsland weg te mogen. Daarom konden ze blij zijn dat ze hier waren, ook al werden ze eveneens uitgebuit. En ze waren niet alleen, zoals mijn oma. Ze hadden elkaar, en zo'n gemeenschap maakt veel uit.

Want de eenzaamheid, het feit dat ze overal alleen voor stond, was waarschijnlijk het allerergst, net als de voortdurende ongerustheid over haar ouders in Duitsland. Tijdens haar eerste jaren in Zweden probeerde ze hen zo goed mogelijk te helpen en stuurde ze brieven met het geld dat ze kon missen. Maar ook al kreeg ze antwoord, ze kon er niet uit opmaken hoe het echt met hen ging, want dat konden haar ouders gezien de omstandigheden onmogelijk zomaar opschrijven. De laatste brief kreeg ze in 1941. Het was een cryptische mededeling dat ze naar een sanatorium zouden gaan, maar een adres werd niet genoemd. Daarna hoorde ze niets meer.

*

Terug in Polen, 2012, brengen Leo en ik mijn vader naar de kamer en halen een spel kaarten.

'Ga je hem nu weer te veel beschermen?' roept mijn vader ons plagerig na.

Ik reageer niet. We nemen de lift naar het restaurant, eten crème brûlée en spelen een potje pesten terwijl we de rivier de Motława buiten kunnen zien stromen. Ik bedenk hoe onvoorstelbaar het is dat je het zo goed kunt hebben dat je niet eens beseft hoe goed je het hebt.

17

Aan de Glädjevägen

We worden wakker, kleden ons aan en gaan naar beneden om te ontbijten. Het ontbijtbuffet ziet er luxe uit in vergelijking met de massale voedering op de boot. Op een paar tafels liggen verschillende ontbijtgerechten smaakvol gerangschikt op witte schalen en achter het raam stroomt de rivier rustig voorbij. We pakken een bord en scheppen op. Ik neem muesli en een paar broodjes. Mijn vader worst, spek en zoete yoghurt.

'Zulk eten zou verboden moeten zijn,' zegt hij tussen de happen door. 'Je aderen raken erdoor verstopt.'

'Je hoeft het niet te eten,' antwoord ik.

'Nee, en je hoeft ook niet te roken,' brengt hij daartegen in. 'Maar op een pakje sigaretten staat een waarschuwingstekst en in restaurants is roken verboden. Dus waarom vet eten niet?'

'Je bedoelt dat je de mensen moet verbieden om vet te eten?'

'Nee, maar je zou een waarschuwende tekst op de verpakking kunnen zetten, of een plaatje waarop je ziet hoe je vaten eruitzien nadat je te veel naar binnen hebt gepropt. Dan zouden de mensen wel minder eten.'

Ongetwijfeld heeft mijn vader daarmee een punt, maar we zijn nu in Polen en ondanks het gezondheidsrisico is het zonde om geen gebruik te maken van de mogelijkheid om supervet eten naar binnen te werken. Vooral omdat mijn moeder niet in de buurt is om de voedingswaarde ervan te controleren. Dus we nemen nog wat en eten er smakelijk van. We hebben veel te doen vandaag. We gaan naar de woonplaats van Hermann Isa-

kowitz, waar ik heb afgesproken met Lukasz en een geschiedkundige die ons hopelijk kan helpen meer te weten te komen
over de plek waar mijn overgrootvader zijn schat heeft begraven. Op weg erheen komen we langs het meest protserige gotische fort van Europa, waar we ook een kijkje willen gaan nemen.
Maar eerst moeten we ons ontbijt achter de kiezen zien te krijgen, wat door ons geschrans nog even duurt. Vooral omdat mijn
vader opeens ontdekt dat er naast alle andere lekkernijen ook
opgerolde haringfilets geserveerd worden.

'Rolmops,' roept hij dolgelukkig uit en hij schept een hele berg
op zijn bord. 'Dit moeten jullie proeven,' zegt hij. 'Dit is zo lekker. Ik heb het in Nederland gegeten toen ik daar een keer op vakantie was. Sindsdien heb ik het geloof ik nooit meer gehad.'

Ik proef wat, maar kan het enthousiasme van mijn vader niet
echt delen. Je zou nog denken dat dit het mooiste is wat hem
ooit is overkomen.

'Wat was dat lekker,' zegt hij voldaan wanneer hij zijn bord
leeg heeft. 'Ik denk dat ik mijn naam maar in Wattin-Rolmops
moet veranderen, zo lekker was het.'

'Ik ga mijn naam terugveranderen naar Isakowitz,' zegt mijn
zoon dan.

'Oké,' antwoordt mijn vader. 'Dan wens ik je veel succes met
solliciteren.'

Die opmerking is grappig bedoeld, maar er zit wel iets in. Een
naam doet veel voor het beeld dat mensen van je hebben. Ik heb
zelf wel eens met de gedachte gespeeld om de oude naam van de
familie weer aan te nemen en me Daniel Isakowitz te noemen
(een naam die heel wat meer Oost-Europees sexy klinkt dan Danny Wattin), maar ik realiseerde me dat mijn naam na bijna veertig jaar te veel een deel van mezelf is om hem nog in te ruilen.
Toch is een naamsverandering niet zo'n ongebruikelijk verschijnsel. Mensen doen het continu. Immigranten om zich aan te passen, vrouwen omdat ze trouwen en mensen die op zoek zijn naar
een nieuwe spiritualiteit om een verandering te markeren die in
hen heeft plaatsgevonden of die ze graag willen zien plaatsvinden.

Toch heb ik het in mijn hart altijd laf gevonden van mijn opa
dat hij zijn naam opgaf. Voor mij betekende het dat hij niet durf-

de te staan voor wie hij was en waar hij vandaan kwam, alsof hij zichzelf met camouflageverf had beschilderd en hoopte dat niemand zou merken dat hij anders was. Dat vond ik zwak, zoals je dingen zwak kunt vinden als je een verwende snotneus bent met naïeve idealen en beperkte levenservaring. Want in zo'n situatie is het heel eenvoudig om stellige uitspraken te doen over wat goed is en wat fout. Net zoals ik als tienerpacifist aan mijn vader verkondigde dat ik nooit een wapen zou kunnen opnemen tegen een ander mens.

'Ik wel,' antwoordde hij.

'Wat, zou jij iemand kunnen doodschieten?'

'Natuurlijk,' zei mijn vader.

Dat was een grote schok voor me en in mijn naïviteit trok ik de conclusie dat mijn eigen vader een vreselijk mens was.

'Als mijn familie bedreigd werd,' ging hij verder. 'Als iemand zou proberen mijn kinderen te vermoorden, dan zou ik hem doodschieten.'

'Ik niet,' riep ik koppig uit.

'Jij niet?' vroeg mijn vader. 'Zelfs niet als iemand een wapen op jou of mij of je zus zou richten?'

'Nooit,' schreeuwde ik. 'Je hebt niet het recht iemand anders van het leven te beroven. Niemand heeft dat recht.'

'Maar als ze jou anders zouden doodschieten,' probeerde mijn vader. 'Zou je het dan niet doen?'

'Nee,' zei ik ferm. 'Nooit.'

'Ik wel,' zei mijn vader en hij leek irritant genoeg nogal tevreden met dat feit. Alsof hij dacht dat ik onder de indruk zou zijn van zijn beschermende instinct.

Dat was ik natuurlijk niet. Integendeel, ik schrok er juist van dat ik zo'n bloeddorstige en slecht geïnformeerde vader had. Maar dat was toen. Als iemand me zou vragen of ik vandaag, drie kinderen later, iemand zou kunnen neerschieten, zou ik hetzelfde antwoorden als mijn vader. Maar in die tijd had ik enorm sterke overtuigingen over een heleboel dingen waar ik niet veel kennis van had. Onder andere over de naamsverandering van mijn opa Erwin.

Achteraf zie ik wel in dat hij daar een aantal redenen voor had. Ik heb gehoord dat mijn opa doodsbang was dat de Duitsers naar Zweden zouden komen en dat de naamsverandering een poging was om hem en zijn gezin te beschermen. Maar hoe meer ik er met mijn vader over praat, des te sterker wordt mijn overtuiging dat het vooral een manier was om zich ervan te verzekeren dat zijn kinderen succesvol zouden kunnen zijn in het nieuwe land, op dezelfde voorwaarden als alle anderen.

Want het is nooit helemaal zo simpel als je denkt. Mijn opa mag dan in zijn gezin een tiran zijn geweest die zijn kinderen sloeg zodra ze hem niet het respect betoonden dat hij meende te verdienen, maar tegelijkertijd wilde hij voor hen de best denkbare kansen om in het leven te slagen. Hij wist waarschijnlijk wat veel immigranten vandaag de dag weten: dat je minder gauw voor een sollicitatiegesprek wordt uitgenodigd wanneer je Mohammed Hoessein heet dan wanneer je Anders Svensson heet.

*

Ook mijn opa Ernst en zijn vrienden ondervonden de moeilijkheden die kunnen ontstaan als je anders bent dan de rest. Toen de Duitsers boven Skåne vlogen, lieten ze alles vallen en maakten ze dat ze wegkwamen.

'We gingen naar Stockholm,' vertelde Ruth. 'Dat mocht niet, maar dat kon ons niets schelen. En de Zweden probeerden ons niet tegen te houden. Die hadden het waarschijnlijk druk genoeg met zichzelf.'

In de hoofdstad gingen ze meteen naar de centrale overdekte markt in de oude Klarawijk en vroegen waar de groente vandaan kwam. De dichtstbij gelegen plaats was Hässelby, dus daar ging de groep heen en trok van de ene kwekerij naar de andere om werk te zoeken. In het begin was dat lastig. Niet omdat ze Joods waren, maar omdat ze een Duits paspoort hadden. En de boeren in Hässelby hadden een hekel aan Duitsers.

'Ze waren heel onaardig en gedroegen zich honds tegenover ons,' zei Ruth. 'Uiteindelijk gingen we naar Edgar Eriksson, die in die tijd een grote boer was. Hij was verwaand en dik, en toen hij onze paspoorten zag, zei hij dat hij geen Duitsers op zijn land wilde hebben.'

Toen werd Ruth zo kwaad dat ze met haar vuist op tafel sloeg. 'De Duitsers willen ons niet omdat we Joden zijn, en jullie willen ons niet omdat we Duitsers zijn,' schreeuwde ze. 'Zo kun je mensen niet behandelen. Dan hadden jullie ons hier niet naartoe moeten halen.'

Boer Eriksson stond onbewogen te kijken naar het woedende vrouwtje tegenover hem en de gebalde vuist waarmee ze op tafel had geslagen. Vervolgens zei hij: 'Kun je echt werken met zulke kleine handjes?'

'Laat me het op zijn minst proberen,' antwoordde Ruth.

En zo kwam het dat mijn familie voor de grote boer van tuinstad Hässelby ging werken. Het was de eerste keer dat ze op dezelfde voorwaarden werkten als de Zweden en voor hetzelfde loon. De vrouwen kregen tweeënveertig öre en de mannen één kroon tweeëndertig per uur, wat een normaal loon was in die tijd voor werk op een kwekerij.

Daarna duurde het niet lang voordat ze werk kregen bij andere, minder hooghartige werkgevers. Veel Zweden waren opgeroepen voor militaire dienst, dus er waren veel banen, en Ruth regelde een plaats bij kwekers in de omgeving voor al hun vrienden uit Heilbronn, die een voor een uit Skåne kwamen. Zelf stopte ze met werken op het land en kreeg een plaats in de huishouding bij een gemeentebestuurder die Modig heette, en die ze niet snel zou vergeten.

'Dat was zo'n aardige man, en hij hielp ons op alle mogelijke manieren,' vertelde ze. 'Hij zorgde er onder andere voor dat we een oud huis konden huren aan de Glädjevägen in Hässelby. De gemeente wilde de grond die erbij hoorde laten bewerken. Het houten huis verkeerde in slechte staat, het was niet geïsoleerd en er was geen riolering of stromend water. Maar wat waren we blij dat we daar mochten wonen.'

In dat huis, waarvan beide verdiepingen maar één kamer hadden, woonden mijn opa Ernst, zijn broer Heinz en Ruth, en hun vrienden Günter, Kiewe, Hans en Henny. Zoals je kon verwachten werd de woning een soort verzamelplaats en een tijdelijk onderdak voor hun andere kennissen. Op een gegeven moment woonden ze met zijn veertienen in het huis, dat grofweg functioneerde als hun eigen kleine Zweedse kibboets. Want net als in hun tijd in Hechalutz deden ze het meeste samen.

'Onze vrienden gingen naar het EPA-warenhuis om hun eigen kopje, schoteltje, bestek en bord te kopen, die ze bij ons neerzetten,' vertelde Ruth. 'We deden geld in een gemeenschappelijke huishoudpot en 's avonds aten we met zijn allen bij ons. Op die manier konden we ons goed redden. Je kon veel doen met het geld in die tijd, en dankzij de rantsoenkaarten konden we sterkedrank en koffie, die wij niet zo belangrijk vonden, ruilen voor brood.'

Iedereen werkte zoveel hij kon, overdag voor verschillende kwekers in de buurt, en 's avonds op het terrein bij hun huis.

'De buren begrepen niet hoe we het voor elkaar kregen: werken en ook nog onze eigen grond bewerken,' zei Ruth. 'Maar wanneer er gezaaid moest worden, deden we dat samen en dan was het in één dag klaar. En wanneer er geoogst moest worden, deden we het samen en dan was dat ook in één dag klaar. Vervolgens verkochten we de groente en deelden het geld.'

Dat zorgde voor een enorme saamhorigheid en het maakte hun leven in Zweden steeds draaglijker. Het werk in de kwekerijen ging ook goed. Mijn opa en zijn broer werden na verloop van tijd voorman en leerden Zweeds van degenen met wie ze werkten. En ook al was het leven af en toe zwaar, ze hadden ook veel lol en lachten vaak.

Wanneer ik de gesprekken terugluister die ik heb gevoerd met de familie van mijn opa Ernst lijkt het wel alsof ze in de kwekerijen van Hässelby voor het eerst sinds Dachau weer een min of meer normaal leven gingen leiden.

Kiewe beschreef dat mooi, die keer dat ik hem in Farsta sprak. Met zijn warme, schorre stem vertelde hij ernstig over de tijd in het concentratiekamp, dat hij zich, na de krenkingen die hem door de nazi's waren aangedaan en nadat hij mensen om zich heen had zien sterven als vliegen, geen mens meer voelde.

'Ik heb van mijn leven nooit zoiets gezien, zei hij. 'Dat mensen elkaar zo kunnen behandelen, dat had ik in mijn ergste nachtmerries niet gedacht. Zo behandel je dieren niet eens. Maar op het laatst kon ik me er niet meer druk om maken. Ik werd zelf een dier. Een dier gelijk.'

De oude man vertelde verder over hoe hij in Zweden terechtkwam en als goedkope arbeidskracht werd uitgebuit. Dat de mooie pakken en de weinige bezittingen die hij had in rook opgingen toen een boer voor wie hij werkte zijn stal in de fik stak om geld van de verzekering op te strijken. Daar vertelde hij over, en over een heleboel andere moeilijke omstandigheden in zijn leven.

Maar toen klaarde zijn gezicht opeens op en hij begon te vertellen over de dag waarop Ruth belde vanuit Hässelby met het bericht dat ze werk voor hem had geregeld bij een kweker. En dat zij en Henny, toen hij een paar dagen later aankwam, een welkomstetentje voor hem hadden aangericht dat hij nooit zou vergeten.

'Al onze vrienden waren er,' zei hij. 'En ze hadden het zo mooi gemaakt. Met een wit tafelkleed en kaarsen. Nu ben ik in de hemel, dacht ik. Nu ben ik weer mens.'

Ondanks de voortdurende angst voor de oorlog en de nazi's werd het leven aan de Glädjevägen steeds mooier en meer zoals een leven hoort te zijn. In de winter van 1942 schonk Ruth, de schoonzus van mijn opa Ernst, het leven aan het eerste kind van mijn vluchtelingenfamilie dat in Zweden geboren werd. Het was een meisje en ze werd Juditha genoemd. Het was een bitter koude winter, zoals er in de oorlog meer waren. Ruth had een zware bevalling achter de rug en werd ziek. De artsen zeiden dat het kind niet besmet kon worden door haar moeder, maar ze hadden het mis. Het meisje kreeg longontsteking en overleed. Hun dokter zei dat ze meteen nog een kind moesten proberen te krijgen, om over hun verdriet heen te komen, en in 1943 werd Johnny geboren.

Ik ontmoette hem enige tijd geleden in zijn woonplaats Bålsta en praatte met hem over zijn ouders en hun leven. Dat was mooi. Hij praat altijd met zo veel warmte over hen. Dat ze zulke fantastische mensen waren en dat hij de mooiste jeugd van de wereld heeft gehad. Dat ze hem erbij lieten zijn wanneer er beslissingen werden genomen die de familie aangingen, dat ze veel tijd aan hem besteedden en dat ze op zondagochtend altijd languit in bed lagen te praten samen. Maar hij vertelde vooral over de saamhorigheid die ze hadden. De groep die in dat tochtige houten huis aan de Glädjevägen woonde en werkte, leefde en lachte. Ze hielpen elkaar en deelden alles. Zelfs hem, voegde hij daar gekscherend aan toe.

'Ik was echt gemeenschappelijk bezit,' zei hij. 'Henny, de beste vriendin van mijn moeder, heeft zelf nooit kinderen gekregen. Maar ze kneep me altijd in mijn kont en dan zei ze: "Eén bil is van mij."'

*

Ik haal nog wat van het buffet en dan pakt mijn vader zijn doos met kleurige hartmedicijnen en legt omstandig uit welke pillen waarvoor dienen, welke bijwerkingen ze hebben en welke pillen je weer moet nemen om die effecten tegen te gaan. Wanneer ik helemaal daas ben van alle informatie neemt hij een hele lading in en zegt dat we naar huis moeten als hij zijn medicijnen kwijtraakt, want anders betekent het zijn einde.

'En dat mag niet gebeuren,' zegt hij en hij steekt een waarschuwende wijsvinger op, 'want dan slaat je moeder me dood.'

18

Du bist wohl verrückt

We verlaten het hotel en rijden met een behoorlijk vaartje over de mooie nieuwe wegen die voor het EK voetbal zijn aangelegd. Mijn vader zit achter het stuur, Leo zit naast hem en ik lig languit op de achterbank.

'Zeg, zoon,' begint mijn vader. 'Wanneer ben je eigenlijk getrouwd? Binnenkort vieren jullie zeker jullie trouwdag?'

'Twee jaar geleden geloof ik,' zeg ik na enig nadenken. 'In de herfst.'

'Ja, maar wanneer in de herfst?'

'Dat weet ik niet precies. In september of oktober. Een maand voordat we dat feest hadden.'

'Het was in oktober,' zegt mijn zoon stellig.

'Ja, dat zal wel,' geef ik toe. 'Maar ik weet niet meer welke dag.'

'Wat slecht,' zegt mijn vader. 'Als ik onze trouwdag vergat, zou je moeder me een draai om mijn oren geven.'

'Voor ons is het niet zo'n ding,' antwoord ik. 'We wilden vooral iets leuks doen, en we deden het omdat het minder ingewikkeld zou worden als een van ons beiden zou komen te overlijden.'

Mijn vader is even stil, alsof hij nadenkt over wat ik heb gezegd.

'Je hebt toch een levensverzekering?' vraagt hij dan.

'Ja, papa,' zeg ik.

'Dan kun je je beter goed gedragen. Anders slaan ze je misschien dood als ze een nieuwe auto nodig hebben.'

'Ja, papa,' zeg ik.

We rijden verder zuidwaarts door het land. Na een tijdje nemen we de afslag richting Kwidzyn en Malbork. De moderne EK-voetbalweg eindigt en maakt plaats voor kasseien die dezelfde hoge snelheid niet toelaten. Maar het is een mooie weg die ons vanuit de voorsteden naar het platteland brengt met zijn maïsteelt en grote open velden.

'Vreemd eigenlijk,' zegt mijn vader, 'hoe snel de tijd gaat. Dat je kortgeleden mijn kleine ventje was en dat je nu van middelbare leeftijd bent, getrouwd, en vader van drie kinderen. Het is bizar.'

'Ja,' zeg ik.

'Je weet toch dat je, naarmate je langer getrouwd bent, steeds minder van elkaar kunt verdragen?'

'Vind je?'

'Dat is zo. In het begin vind je alle eigenaardigheden van de ander alleen maar schattig, maar later gaan ze je irriteren. Om van je schoonouders nog maar te zwijgen. Die zou je echt moeten natrekken voordat je trouwt.'

'Dan zou niemand meer trouwen,' zeg ik. 'Het menselijke ras zou uitsterven.'

'Welnee,' zegt mijn vader. 'De mensen zouden zich toch wel voortplanten. Er is toch alcohol?'

'Ja, natuurlijk.'

'Maar het is echt geen dom idee om je schoonouders na te trekken,' gaat hij verder. 'En degene met wie je gaat trouwen. Dat doe je bij alle andere dingen. Je bezichtigt een huis en een auto laat je keuren voor de koop. Dus waarom je vrouw niet?'

'Je vrouw?'

'Ja, natuurlijk zou je een grondig onderzoek moeten uitvoeren voor het huwelijk. Met eerdere eigenaren spreken, de rijgeschiedenis onderzoeken en onder de motorkap kijken. Vooral als het een gebruikt model is, dan zijn er altijd mankementen.'

'Huh?' vraagt Leo, die nu wakker wordt nadat hij een poosje heeft zitten doezelen.

'Onthou dat goed,' zegt mijn vader tegen zijn kleinkind. 'Altijd je vrouw natrekken voor het huwelijk. Daarna is het te laat.'

'Huh?' vraagt Leo weer.

'En vergeet niet dat hoe langer je getrouwd bent, des te onge-duldiger je wordt.'

Leo kijkt wat verward en ik ben bang dat dit gesprek hem boven de pet gaat.

'Ja,' gaat mijn vader verder, 'neem bijvoorbeeld het feit dat je oma een tijdje geleden haar haar kort had laten knippen. Ze heeft krullen, dus noemde ik haar per ongeluk mijn lammetje.'

'Dat was toch best schattig,' zeg ik.

'Ja, maar eigenlijk zei ik waarschijnlijk niet "lam", maar "schaap".'

'Schapen zijn ook schattig.'

'Ik heb haar geloof ik per ongeluk "mijn kleine schaapskop" genoemd. Maar heel liefdevol en met de beste bedoelingen.'

'Vanzelfsprekend,' zeg ik. 'En toen werd ze boos?'

'Ontzettend boos.'

'Wat zei ze?' vraagt Leo.

'Dat weet ik niet,' antwoordt mijn vader. 'Ze gaf me zo'n harde draai om mijn oren dat ik er niets van kon verstaan.'

Zo'n verhaal is niet direct iets nieuws onder de zon in de relatie van mijn ouders. Gelijksoortige episodes speelden zich tijdens mijn hele jeugd met regelmatige tussenpozen af. Hoe de relatie van mijn oma Helga en opa Ernst eruitzag, daar weet ik minder van. Maar ik heb het sterke gevoel dat ook zij nogal goed waren in het door de vingers zien van elkaars eigenaardigheden. In ieder geval mijn opa Ernst, die zo veel gezeur en gemekker moest aanhoren dat het mijn moeder verbaasde dat hij er niet stapelgek van werd. Ze had medelijden met hem en vroeg af en toe hoe haar vader het uithield. Het antwoord van mijn opa was altijd hetzelfde. Hij wees naar zijn ene oor en zei: 'Het ene oor in en het andere uit.'

Ze waren echt heel verschillend, mijn oma Helga en mijn opa Ernst. Als twee polen van een magneet, een die aantrok en een die afstootte. Maar ze hielden elkaar goed in evenwicht, in ieder geval totdat mijn opa aan kanker overleed en alleen de negatieve pool overbleef.

Al leerde ik hen natuurlijk laat in hun leven kennen en was het allemaal vast heel anders toen ze elkaar ontmoetten, in augustus 1944. Dat was op een feest waar mijn oma via een kennis voor was uitgenodigd. Op de invitatie stond dat het een kinderfeestje zou worden, maar toen ze in het huis aan de Glädjevägen kwam, bleek het om een verkleedpartijtje te gaan, waarvoor volwassenen zich als kinderen hadden uitgedost. Dus Helga bond een strik in haar haar en ging naar binnen. Het was een spetterend feest, vertelde ze, druk en gezellig.

Het huis had een latrine op de binnenplaats en op een gegeven moment verliet mijn oma het feest om naar de wc te gaan. Toen ze terugkwam, hoorde ze een kind schreeuwen. Het was de kleine Johnny, die wakker geworden was. Oma ging naar boven, haalde het jongetje uit bed en ging op de trap zitten met hem op schoot. Toen ze daar zat in het donker hoorde ze de voordeur opengaan en iemand binnenkomen. Het was even stil en vervolgens klonk het geluid van voetstappen die steeds dichterbij kwamen, totdat er iemand over haar struikelde.

'Wie ben je?' schreeuwde ze.

'Wie ben jij?' schreeuwde hij terug. 'Ik woon hier.'

Dat was mijn opa Ernst. Hij vond het feest dat zijn oudere broer en de andere 'oudjes' hadden georganiseerd stom, en was naar een dancing geweest. Nu wilde hij gaan slapen. Maar dat kwam er niet van. In plaats daarvan bleef hij op de trap zitten praten met de jonge vrouw over wie hij was gestruikeld.

Na die avond zagen ze elkaar vaak. Soms gingen ze naar de bioscoop en soms naar de lunchroom. En soms, wanneer ze geen geld hadden, gingen ze samen wandelen. Mijn oma heeft verteld dat ze mijn opa aardig vond, maar dat ze beslist niet wist of ze nou verliefd was of niet.

'Hoe zou ik dat moeten weten?' vroeg ze. 'Ik was nog nooit verliefd geweest. Ik wist niets van dat soort dingen. Van de liefde of waar de kinderen vandaan kwamen. Ik dacht dat je zwanger kon raken als je met elkaar zoende.'

Hoe het ook zat met het verliefdheidsbesef, in de herfst en de winter van 1944 bleven de twee met elkaar omgaan. Mijn oma had echter geen plannen om in Zweden te blijven, toen een kans om naar de VS te emigreren zich opeens had aangediend. Tante Hilde, die nu in Texas woonde, had het allemaal geregeld en een rijke Amerikaanse Jood ertoe weten te bewegen de reis te betalen.

Het was een nogal omslachtige tocht. Vanaf vliegveld Bromma vloog je naar Glasgow, je nam de trein naar Londen en van daaruit een boot naar de Verenigde Staten. Het eerste deel van de reis werd georganiseerd door een zekere dr. Michaeli uit Stockholm, en werd afgelegd in een omgebouwde bommenwerper, die vanwege het risico te worden neergeschoten alleen onder bepaalde weersomstandigheden kon opstijgen.

In januari 1945 kreeg mijn oma een plaats op zo'n vlucht. Ze verkocht alles wat ze bezat om een startkapitaaltje te hebben in de nieuwe wereld, trok in bij een vriendin en wachtte op bericht. Dat kon elk moment komen, en dus moest ze continu klaar zijn om te vertrekken. Tussen 15 januari en 3 maart sjouwde ze daarom haar koffer overal mee naartoe, om zo snel mogelijk naar het vliegveld te kunnen gaan.

Maar het zat niet mee. Het weer was nooit wat het moest zijn, en al met al reisde ze dertien keer naar Bromma zonder dat ze konden opstijgen.

De laatste keer kreeg ze een lift van mijn opa Ernst, die haar toen ze terug waren vroeg of ze wilde blijven en met hem trouwen. Mijn oma wist niet wat ze moest doen. Of ze bij een man zou blijven op wie ze misschien verliefd was, of zou vertrekken naar de tante die voor zover zij wist haar enige nog levende familielid was. Gelukkig had ze nog wel een klein beetje tijd om erover na te denken, aangezien dr. Michaeli had gezegd dat er de eerste twee weken niet gevlogen zou worden. Mijn oma ging dus weer terug naar haar vriendin en nam een baan aan in een winkel in Abrahamsberg. De twee weken waren nog lang niet om toen ze daar aan het werk was en de vrouw van de winkelier binnen kwam stormen om te vertellen dat de vriendin van mijn oma had gebeld om te zeggen dat ze zouden vliegen.

'Ze wachten op je,' zei ze. 'Ga met Gods hulp en als het niet doorgaat, kom dan maandag terug. Je bent welkom.'

Mijn oma ging snel naar het appartement om haar spullen op te halen. Ze wist nog steeds niet wat ze moest doen. Dus toen ze op het vliegveld was, belde ze dr. Michaeli en vertelde dat ze overwoog te blijven en te trouwen.

Zijn antwoord was kort: *'Du bist wohl verrückt.'*

Daarna belde ze mijn opa en vertelde hem hetzelfde.

Zijn antwoord was ook kort: 'Je weet hoe ik erover denk.'

Mijn oma nam een snel besluit. Ze belde opnieuw naar dr. Michaeli en zei dat ze zou blijven als hij op zo korte termijn iemand kon vinden om haar plaats in te nemen. En zo niet, dan zou ze vertrekken.

Zo kwam het dat mijn oma in Zweden bleef en met mijn opa trouwde. Vrij snel daarna kwam er een eind aan de oorlog. Dat vierden ze met een vredesfeest bij Ruth en Heinz, die intussen waren verhuisd naar een appartement aan het Brommaplan (met riolering en stromend water!). Het was een grote partij, met al hun vrienden en kennissen. En midden in al het feestgedruis ging Ruth naar boven, maakte haar zoontje wakker, nam hem in haar armen en vertelde het ventje, dat er niets van begreep, dat hij in vrede zou mogen opgroeien.

Enige tijd later ging mijn oma naar het Rode Kruis om te horen wat er van haar familie was geworden. Ik weet niet wat ze had verwacht. Dat heeft ze nooit verteld. Maar ik weet dat haar werd meegedeeld dat haar jongere broer in leven was en in Engeland woonde, en dat ze een oom had in Israël, die zich jarenlang in een kelder in Nederland verborgen had gehouden. Alle andere familieleden, ook haar moeder Margarete en haar vader Leo, waren vermoord.

19

De laatste tafeltenniswedstrijd

We komen aan in Malbork, verlaten de weg en parkeren buiten de slotgracht van het meest protserige gotische fort van Europa. Het is echt een monsterlijke kolos die, zoals dat hoort, tot de nok toe gevuld is met schoolklassen en toeristen die als lange slierten achter hun met vlaggen zwaaiende gidsen aan komen.

We lopen over de brug de binnenplaats van de burcht op. Het staat er vol met verkopers van diverse ridderattributen. Hun pijl-en-bogen en armborsten zijn kennelijk het meest in trek, misschien omdat ze af en toe een pijl in een lukraak gekozen richting schieten om te laten zien hoe goed hun producten zijn. Ze gaan ver, die Poolse speelgoeddingen, die hoogstwaarschijnlijk thuis in Zweden in de categorie dodelijke wapens ingedeeld zouden worden.

We staan een poosje naar hun koopwaar te kijken en lopen daarna verder de binnenplaats op. Daar kuieren we een uurtje rond, we onderzoeken het fort en diverse oorlogsmachines totdat we trek krijgen en terugkeren naar de kraampjes op zoek naar een geschikt eettentje.

Ik wil natuurlijk Pools eten en vind na enig zoeken een plek waar ze vette pierogi verkopen, zuurkool, gebakken aardappels, spiesen en *golonkas*. Het laatstgenoemde is een verfijnd Pools gerechtje: varkensschenkels die eerst in bouillon zijn gekookt en daarna in de oven gebakken, en nu op een barbecue liggen te wachten om opgegeten te worden. Het is bepaald geen eten voor kinderen. De stukken zijn rond, vet en waanzinnig groot, en zijn waarschijnlijk de perfecte wintermaaltijd voor volwassen kerels die een dag hard hebben gewerkt in het bos. Natuurlijk wil mijn zoon er een, maar aangezien hij pas negen is en vandaag nog geen enkel stuk hout heeft gehakt, moet hij genoegen nemen met de kleinste golonka van het etablissement. Een brok vlees dat met zijn driehonderdvijftig gram toch zo groot is dat mijn vader zijn ogen niet lijkt te geloven.

'Ga je dat opeten?' vraagt hij. 'Dat is toch puur vet?'

'Het is heerlijk,' zegt mijn zoon terwijl hij grote stukken golonka lostrekt en in zijn mond stopt.

'Dat vind jij, ja,' zegt mijn vader. 'Maar jij eet alles.'

'Het is lekker,' zegt mijn zoon.

Mijn vader kijkt zijn kleinzoon sceptisch aan.

'Het is vast een of ander samengeperst restproduct,' zegt hij. 'Net als *falukorv*. Allemaal vleesresten bij elkaar waar ze één vette klont van hebben gemaakt.'

'Dit is een Poolse specialiteit,' zeg ik.

'En dan weten ze toeristen zo gek te krijgen dat ze het eten. Nee, Leo,' zegt mijn vader, 'zeg het maar eerlijk. Zo lekker is dat niet. Het is gewoon net zoiets als vissenogen eten.'

'Laat hem met rust,' zeg ik. 'Als hij zegt dat het lekker is, dan zal dat heus wel zo zijn.'

Mijn vader zwijgt en kijkt hoe zijn kleinkind met enorme inspanning uiteindelijk driehonderdvijftig gram varken naar binnen weet te werken, en daarna bijna met zijn hoofd op de tafel valt van uitputting.

'Jij hebt het mooi voor elkaar,' zegt hij dan, 'met je vader die het de hele tijd voor je opneemt, en die je mee laat gaan op zo'n reis. Dat mocht ik niet toen ik klein was.'

Hij pauzeert even en neemt een hap van zijn extra doorbakken spies.

'Jij hebt het ook mooi voor elkaar,' zegt hij tegen mij. 'Jij bent opgegroeid in een vrijstaand huis en mocht elke zomer zeilen. Hoeveel kinderen mogen dat, denk je?'

'Ja,' geef ik toe. 'Ik had het mooi voor elkaar.'

Maar dat vond ik toen natuurlijk niet, omdat ik een verwende snotneus was die liever met mijn vrienden wilde optrekken dan met het gezin een zeiltocht maken. Maar toen wist ik natuurlijk niet dat mijn vader elk jaar naar een kamp werd gestuurd wanneer zijn ouders met vakantie gingen, en dat hij zich als volwassene had voorgenomen zijn kinderen nooit zo te behandelen. Maar zoals bekend weet je niet hoe goed je het hebt als je niets hebt om het mee te vergelijken. Vooral niet omdat ik een heel andere band met mijn vader had dan hij met de zijne. Hoe anders begreep ik pas toen hij een keer vertelde hoe verbaasd hij was toen zijn vader hem, ruim tien jaar voor zijn dood, opeens in de armen sloot. Wat hem het meest verbaasde, lichtte hij toe, was niet de omhelzing op zich, maar het besef dat hij nooit eerder door zijn vader was geknuffeld.

Ook al hadden mijn opa en ik een veel zachtere relatie, toch heb ik ook een sterke herinnering aan een knuffel die hij me gaf. Dat was in verband met een tafeltenniswedstrijd die ik nooit zal vergeten.

Ik weet dat we die keer vrij lang speelden. Eerst sloegen we een paar balletjes om op te warmen en daarna speelden we een paar sets die ik vrij gemakkelijk won. Vervolgens vroeg mijn opa of we nog één wedstrijd zouden spelen. Toen kreeg ik een bepaald gevoel vanbinnen. Ik weet niet wat het was, of waarom ik dat gevoel had, maar ik wilde dat hij zou winnen. Dus ik deed wat je soms doet met kleine kinderen om ze niet verdrietig te maken. Ik speelde iets slechter dan gewoonlijk, sloeg voorzichtige balletjes en verloor opzettelijk. Ik weet nog steeds niet waarom, maar ik weet nog zo goed dat hij nadat de laatste bal was geslagen aan de andere kant van de tafel naar me stond te kijken. Met een vreemde uitdrukking op z'n gezicht alsof hij blij en verdrietig tegelijk was. En ik kreeg het sterke gevoel dat er iets niet klopte, want zo had ik hem nooit eerder gezien.

Nadat mijn opa een hele poos zo naar me had staan kijken, kwam hij naar me toe en omhelsde me. Zo stevig en zo lang dat het ongemakkelijk werd. Daarna liet hij los en zei: 'Dank je, dit was de laatste keer.'

Ik zei niets, want ik had geen idee wat ik moest zeggen. Ik wist alleen dat er iets vreemds aan de hand was wat ik niet begreep.

Ik vertelde aan niemand wat er in de tafeltennisruimte gebeurd was, en ik ben het vast snel weer vergeten. Ik was per slot van rekening een tiener en meer bezig met mezelf dan met iets anders. Maar enige tijd later, toen we dat telefoontje kregen, kwam alles weer boven en toen begreep ik het. Hij had afscheid genomen. Mijn oma had hem gevonden, op de vloer van de badkamer naast een potje slaaptabletten waarop hij had geschreven: '20 = dodelijk'. Mijn opa had zichzelf van het leven beroofd.

Waarom hij dat had gedaan, weten we niet. Mijn vader dacht dat hij ziekelijk bang en paranoïde moest zijn geweest. Maar we zullen nooit weten of dat echt zo was. We dachten dat we helemaal nooit meer iets over het leven van mijn opa Erwin te weten zouden komen.

Maar toen gebeurde er iets. Een paar jaar geleden kreeg mijn vader op een dag een brief van mijn opa's jongere broer in Argentinië. De man van wie we dachten dat hij niets met ons gezin te maken wilde hebben. Tot onze verbazing wilde Georg, zo heette hij, ons graag ontmoeten. En vorig jaar, hij was toen eenennegentig, kwam hij naar Zweden en bezocht mij thuis in Uppsala.

Het was een fijne ontmoeting. Georg leek uiterlijk heel erg op mijn opa, maar hij was veel hartelijker. Hij had cadeautjes bij zich voor mijn kinderen en wilde ondanks zijn leeftijd per se armpje drukken met ons allemaal. En toen de formaliteiten achter de rug waren, ging hij op onze keukenbank zitten met Leo op schoot en vertelde over zijn leven.

Toen hij jong was, vertelde hij, droomde hij ervan concertpianist te worden. Thuis in Marienwerder had hij een vleugel, hij oefende veel en trad vaak op. Op zijn vijftiende speelde hij eens in een katholieke school in Königsberg. Een stuk van Bach. Georg ging zo op in de muziek dat hij niet merkte wat er om hem heen gebeurde en niet zag dat er jongeren van de Hitlerjugend de zaal in kwamen.

'Ze zeiden dat ik moest stoppen met spelen,' zei hij, 'maar ik was zo verdiept in de muziek dat ik het niet hoorde.'

Toen ze geen reactie kregen, kwamen ze bij de vleugel staan en lieten het deksel op Georgs vingers vallen. Telkens weer, net zolang tot ze braken. Mijn opa's jongere broer was zo geschokt dat hij de pijn niet voelde. Hij keek de zaal in en zag tot zijn ontzetting dat niemand in het publiek reageerde op wat er was gebeurd. Ze zaten daar maar te staren. Toen werd hij zo bang dat hij opstond en wegrende.

'Ik kwam tegen etenstijd thuis, in tranen,' zei hij. 'Mijn ouders vroegen wat er gebeurd was, maar ik antwoordde niet. Ik zei alleen dat ik weg moest. Meer kon ik niet vertellen. Ze probeerden me over te halen om te blijven, maar mijn besluit stond vast. Ik wilde weg uit Duitsland.'

Na de mishandeling door de Hitlerjugend kon Georg niet meer pianospelen en eerder had hij al moeten stoppen met school. Hij zag voor zichzelf geen toekomst meer in zijn vaderland. Zijn ouders moeten hetzelfde hebben gevoeld, anders hadden ze hun jongste zoon geen visum laten aanvragen als boerenknecht in Argentinië, ook al was hij nog maar vijftien en had hij nog nooit een dag gewerkt. Maar het kan geen gemakkelijk besluit zijn geweest. Vooral niet voor zijn en mijn opa's moeder Dorotea.

'Toen ik mijn visum kreeg, zei mijn moeder tegen me dat ik zo onervaren was dat ik het harde leven op het land niet aan zou kunnen en dat ik dood zou gaan als ik vertrok. Maar ik was jong en lachte haar uit.'

Diezelfde avond kreeg Dorotea een beroerte en overleed. In shock begon Georg in te pakken voor zijn reis, maar wat hij niet wist was dat mijn overgrootmoeder twee gouden munten in een van zijn sokken had gestopt. Waarschijnlijk omdat ze, net als de moeder van mijn oma Helga, niet wilde dat haar kind met lege handen in zijn nieuwe vaderland zou aankomen. Het probleem was dat Georg zijn bagage niet goed nakeek voordat hij op reis ging en dus niet wist dat die munten daar waren. Ze werden gevonden door de douane in Hamburg, wat ertoe leidde dat de vijftienjarige werd gearresteerd wegens overtreding van de regels voor deviezencontrole en naar de jeugdgevangenis van Fülsbuttel werd gestuurd.

Het grootste deel van dat verblijf, waar hij op zich al een boek over kon schrijven, zat hij opgesloten in een cel van twee bij twee meter. De bewaarders waren bruten en Georg werd meermalen ernstig mishandeld. Zo braken ze zijn arm, maakten zijn duimen kapot en sloegen hem zo hard op zijn hoofd dat hij geopereerd moest worden.

Hij weet niet precies hoe lang hij opgesloten zat, maar ongeveer een jaar later kreeg hij bezoek van een advocaat genaamd Behrend, een vriend van zijn vader. Die vertelde dat hij de hele dag in de rechtbank was geweest en ervoor had gezorgd dat Georg in drie rechtszaken vrijgesproken was, en dat hij nu de gevangenis kon verlaten. Maar, zo ging de advocaat verder, hij kon niet terug naar Marienwerder, want dan zou hij meteen naar een concentratiekamp worden gestuurd.

Herr Behrend gaf hem vervolgens een paspoort, twintig dollar en een ticket naar Buenos Aires en zei dat Georg, als hij het vege lijf wilde redden, zo snel mogelijk weg moest uit Duitsland.

Mijn opa's jongere broer volgde dat advies op, maar helaas was zijn visum tijdens het verblijf in de gevangenis verlopen, wat ertoe leidde dat Georg bij aankomst in Argentinië weer in hechtenis werd genomen. De kans dat hij in het land zou mogen blijven was minimaal. Hij sprak geen Spaans, was minderjarig en had geen geldige verblijfsvergunning. Kortom, alles wees erop dat hij teruggestuurd zou worden naar Duitsland.

Nadat hij een week of drie, vier opgesloten had gezeten zonder te weten wat er met hem zou gebeuren, werd hij ernstig ziek. Zo ziek dat hij uiteindelijk het bewustzijn verloor. Toen hij bijkwam, bevond hij zich in een ziekenhuis. Dat was zijn kans, besefte hij. En zodra hij sterk genoeg was om op te staan en er niemand in de buurt was, verliet Georg zijn bed en liep de straat op.

Hij zwierf een tijdje door Buenos Aires en sliep op een bankje in het park. Hij zat voortdurend in angst dat de politie hem zou oppakken en terugsturen naar Duitsland. Maar Georg had weer geluk. Op een van de plekken waar hij zich schuilhield, ontmoette hij een stel gaucho's, Argentijnse cowboys, die op het platteland zouden gaan werken. En hij mocht mee.

'Ze zorgden voor me en redden mijn leven,' zegt hij. 'Deze eenvoudige mensen hadden zo weinig, maar desondanks deelden ze het eten dat ze hadden en het stro waarop ze sliepen met mij.'

Het was een leven van overdag hard werken en 's nachts kou lijden. Vaak sliep Georg bij de dieren om warm te blijven, soms omgeven door honden, en twee jaar lang op een paard. Hij hield van dieren, vertelde hij, je kunt ze begrijpen en altijd op ze vertrouwen. Met mensen is dat niet altijd even makkelijk, vond Georg.

Al met al bracht mijn opa's jongere broer vijf jaar door op het Argentijnse platteland en wist zichzelf in die tijd, door hard werken en met een flinke dosis geluk, een draaglijk leven te bezorgen. Hij kon nooit meer pianospelen. Maar het belangrijkste was dat hij het had overleefd en dat zijn handen, ondanks de weinig zachtzinnige behandeling van de Hitlerjugend, hem gelukkig hadden kunnen maken. Hij straalde echt warmte uit zoals hij daar op onze keukenbank zat met mijn zoon op schoot. Dat was waarschijnlijk het mooiste, om te zien hoe iemand die zoveel had meegemaakt toch een hartelijk en gelukkig mens kon zijn.

Georg was als eerste van de kinderen uit Duitsland weggegaan en ook al wist hij niet veel van wat mijn opa Erwin was overkomen, hij vertelde wel een paar dingen die ik nog niet wist. Bijvoorbeeld dat hij, zodra dat kon, een vergunning had aangevraagd voor zowel mijn opa Erwin als voor hun vader, om naar Argentinië te komen. Hermann was te oud, legde hij uit, dat ging niet. Mijn opa daarentegen kon meteen een visum krijgen, maar hij liet niets van zich horen. Misschien, dacht Georg, omdat hij bang was voor het zware werk op het Argentijnse platteland.

Als je het verhaal van mijn opa's broer zo hoorde, was zijn eerste tijd als vluchteling er een van eenzaamheid en onzekerheid. Hij had jarenlang geen contact met zijn familie, en wist niet of zijn vader of de andere kinderen nog leefden. Pas in 1943 kreeg hij weer contact met hen, maar het zou nog een hele tijd duren voordat ze elkaar weer zagen. Tot ver na de oorlog, toen hij in een koude winter naar Stockholm kwam om zijn oudere broer te ontmoeten. Maar die ontmoeting werd niet wat hij ervan had gehoopt. Mijn opa omhelsde hem niet eens, en dat kwam op Georg over alsof hij er helemaal geen belang bij had dat hij daar was. Dus nadat hij zich drie dagen had afgevraagd waarom zijn grote broer zo afwijzend was, reisde hij verder.

Het lijkt er dus op dat het gebrek aan contact een heel andere oorzaak had dan wij altijd hadden gedacht. Het lag niet aan Georg, maar aan mijn opa, die een dergelijk contact kennelijk niet aankon.

'Je begrijpt: we hebben een gecompliceerde familie,' zei Georg voordat hij wegging.

20

Zoals de wind waait

Op de terugweg naar het parkeerterrein blijft mijn zoon bij een van de kraampjes staan en vraagt of hij een armborst mag kopen. De vernuftige constructie van staal en hout die met de juiste pijl ongetwijfeld als een dodelijk wapen zou kunnen fungeren kost omgerekend twintig kronen.

'Mag het?' vraagt hij nog eens.

'Best,' zeg ik na even nadenken.

Mijn vader gelooft zijn oren niet.

'Jouw kinderen zouden toch nooit wapens krijgen?' zegt hij. 'En dan moet hij nu een armborst hebben! Hij kan er wel iemand mee doodschieten.'

'Hij weet hoe je er op een veilige manier mee om moet gaan,' zeg ik. 'Jongens maken continu pijl-en-bogen.'

'Maar dit is een echt wapen.'

'Ik vertrouw hem,' zeg ik.

Even is het helemaal stil. Dan zegt mijn vader: 'Ja, ja.'

'Wat wil je daarmee zeggen?' vraag ik.

'Nou, vroeger mocht ik je kinderen nog geen waterpistool geven. Dan ging je uit je dak.'

'Dat is toch niet zo?'

'Jawel, dat is zo. Woedend was je. En dan hield je lange tirades dat je niet wilde dat jouw kinderen met wapens speelden. Ik durfde hun bijna helemaal niets meer te geven, zoals jij bezig was.'

'Dat deed ik echt niet.'

'Dat deed je wel.'

'Nee, dat geloof ik niet,' zeg ik. Waarna mijn vader me weer een hoogst sceptische blik toewerpt.

'Je weet het nooit met jou,' zegt hij dan. 'Het ene moment mogen je kinderen nog geen waterpistool cadeau krijgen en het volgende moment mogen ze dodelijke wapens kopen. Zoals de wind waait, waait je jasje. Straks mogen ze ook nog met explosieven en kernwapens spelen.'

Misschien heeft mijn vader daar een punt. Waarschijnlijk wel, maar dat ga ik nu niet toegeven. In plaats daarvan gebruik ik het oude opvoedtrucje van mijn moeder dat erop neerkomt dat je de dynamiek van een situatie verandert door elegant op een onderwerp over te gaan dat de persoon in kwestie interesseert.

'Jij was altijd een goede schutter, trouwens,' zeg ik. 'Je hebt toch een heleboel medailles?'

'Dat is waar,' geeft mijn vader toe. 'Een paar heb ik er in ieder geval wel. Het is een mooie sport, schieten. Je hoeft je niet zo in te spannen. Het belangrijkste is dat je een vaste hand hebt en dat je de trekker langzaam overhaalt, zodat het pistool niet schokt.'

Tegen mijn zoon zegt hij: 'Ik was ook goed in darten. Ik oefende hele dagen totdat ik elke keer precies het midden kon raken. Toen zei ik tegen mijn broer dat hij tegen een muur moest gaan staan en de vingers van één hand moest spreiden, zodat ik de pijltjes ertussen kon gooien.'

'En lukte jou dat?' vraagt mijn zoon.

'Hij wilde eerst niet, die lafbek. Maar toen beloofde ik hem een kroon als ik miste. En toen deed hij het meteen, die hebberd.'

'En gooide je raak?'

'Jazeker,' zei mijn vader. 'Midden in zijn hand. Mijn broertje schreeuwde als een mager speenvarken. Maar het was zijn eigen schuld. Hij had bewogen. Dat weet ik bijna zeker.'

'Heb je hem die kroon gegeven?' vraagt Leo.

'Ja, en dat was best veel geld in die tijd. Maar mijn broer bleef maar schreeuwen en zei dat hij het tegen mijn vader zou zeggen als hij geen drie kronen kreeg.'

'En kreeg hij die?'

'Ja, die kreeg hij. Anders had mijn vader mij een pak rammel gegeven. Mijn broer was toen al een scherpe onderhandelaar.'

Uit de verhalen van mijn vader kun je de conclusie trekken dat hij en zijn jongere broer veel ruziemaakten in hun jeugd. Die neiging hebben mijn twee oudste zonen ook en volgens Georg zaten hij en mijn opa Erwin elkaar ook vaak in de haren. Zoals ik het begrijp is de band tussen de broers Isakowitz nooit heel goed geweest. Georg was zes jaar jonger dan mijn opa en volgens hemzelf het lievelingetje van zijn moeder. Bovendien, dacht hij, waren de andere kinderen jaloers op zijn talent voor pianospelen en de dure muzieklessen die zijn ouders bekostigden. Mijn opa, vertelde hij, was de jaloerste en probeerde altijd zijn jongere broer onzeker te maken. Soms door gemene dingen te zeggen en soms door hem te slaan. Maar ook als de broers vochten en ruziemaakten kregen ze nooit slaag van hun ouders. Integendeel, vertelde Georg, hun vader was een goede man die altijd probeerde zijn kinderen zo goed mogelijk te helpen. Daarom was hij verbaasd toen hij hoorde dat zijn oudere broer zo'n hekel aan hem had. Maar, gaf hij toe, hun vader had op zich vastomlijnde ideeën over de opvoeding, die waarschijnlijk recht tegen die van mijn opa indruisten.

'Mijn broer was altijd een kleine revolutionair die overal zijn eigen ideeën over had,' zei hij. 'Hij was voortdurend in oorlog: met God, met de wereld en met mij.'

Ik schrok van Georgs beschrijving van mijn opa, want zo heb ik me ook een groot deel van mijn leven gedragen. Als een obstinate kleine revolutionair. Iemand die sceptisch staat tegenover alle traditionele waarheden van de maatschappij over hoe je moet leven, en die zo'n beetje automatisch kritiek had op alles wat op zijn pad kwam. Zo gedraag ik me al een hele tijd, maar ik heb me nooit afgevraagd waar dat van komt. Waarom ik nooit de weg van de minste weerstand lijk te kunnen volgen, nooit de makkelijkste route schijn te kunnen kiezen. Waarom ik, zodra ik op een stroom stuit, er dwangmatig tegen in moet gaan. Nu pas, nu ik Georg heb horen vertellen over mijn opa, vraag ik me af of mijn gedrag, het feit dat ik me bijna dwangmatig afzet tegen onze algemeen aanvaarde normen en gedragingen, niet gewoon een genetisch bepaalde reflex is.

Maar ik was niet de enige die opkeek van wat Georg die dag

vertelde. Mijn vader schrok ook, zij het om heel andere redenen. Hij had altijd gedacht dat zijn vader thuis werd geslagen en
daarom op zijn beurt de hand tegen zijn kinderen ophief. Dat
hij ze simpelweg opvoedde zoals hijzelf opgevoed was. Om nu
te horen dat dat helemaal niet het geval was geweest, kwam als
een grote verrassing.

Daar denk ik over na, terwijl we in de auto stappen en onze tocht
naar Kwidzyn vervolgen. Hoe onze persoonlijkheid en ons leven worden gevormd, en hoeveel daarvan in zekere zin voorbe-
stemd is. Zo heb ik niet altijd gedacht. Als puber en als jongeman
gaf ik niet veel om erfelijkheid of milieu en ik was ervan overtuigd dat ik mijn leven vorm kon geven zoals ik dat wilde. Als ik
mijn aangeleerde gedragspatroon maar kon ontdekken en door-
breken, zou ik gelukkig en vrij worden, zo dacht ik. Ik heb veel
pogingen gedaan. Ik maakte in mijn eentje lange reizen, dwong
mezelf met situaties om te gaan die ik eng vond, ik logeerde in
een klooster en leerde mediteren. Nu ik ouder ben, kan ik lachen
om mijn naïviteit en die tegelijkertijd geweldig vinden, aangezien ze mij ondanks alles veel heeft opgeleverd. Maar niemand is
een eiland, afgeschermd van zijn geschiedenis of zijn omgeving.
En hoe ouder ik word en hoe meer ik erover nadenk, des te dui-
delijker kan ik zien dat alles wat er voor mijn tijd is gebeurd, mij
heeft gemaakt tot wie ik ben. Want ook al heb ik lang niet willen
accepteren dat ik ook maar iets gemeen heb met andere leden
van het Joodse volk, je hoeft geen atoomgeleerde te zijn om in te
zien hoezeer mijn achtergrond mij heeft gevormd.
   Dit doet me denken aan mijn vader en aan wat hij als kind
moet hebben doorgemaakt. Als immigrant in een Zweden dat
een van de in etnisch opzicht homogeenste landen ter wereld
was. Een Duits kind dat ook nog Joods was. Ik heb nooit gevraagd hoe dat voor hem was en hij heeft zich er nooit zo over
uitgelaten. Maar wanneer ik er nog eens beter over nadenk, ben
ik er waarschijnlijk op grond van mijn eigen ervaringen klak-
keloos van uitgegaan dat hij het best zwaar moet hebben gehad.
Wanneer ik alsnog vraag of hij als kind werd gepest, komt zijn
antwoord dan ook als een complete verrassing.

'Nee,' zegt hij. 'Niet dat ik me kan herinneren.'

'Wisten de mensen dat je Jood was?'

'Ik had een davidsster aan een ketting om mijn hals, dus dat moeten ze wel hebben geweten.'

Dan vertel ik hem van mijn ervaringen in Upplands Väsby. Dat ik mijn mond hield en bang was en niemand vertelde van mijn identiteit. En dan is het zijn beurt om verbaasd te zijn.

'Misschien was het in mijn tijd anders,' zegt hij. 'Israël werd toen als een gidsland gezien. Een socialistisch ideaal om na te streven. En het was chic om Joods te zijn. Maar dat is nu niet meer zo.'

'Dus je werd niet gepest?' vraag ik weer.

'Nee, wij pestten vooral dikke kinderen.'

'O ja?'

'Ja, zoals dikke Berit.'

'Waarom?'

'Dat weet ik niet,' zegt mijn vader. 'Dat deed iedereen. Misschien om niet buiten de boot te vallen. Maar studiebollen pestten we niet.'

'Alleen de dikkerdjes?'

'Ja.'

'En als de stuudjes dik waren?'

'Ja, dan wel, maar anders niet. Er was niets mis met studiebollen, ook als ze niet bij een groepje of clubje hoorden. Zelf was ik altijd met mijn vrienden op pad in plaats van te leren, daarom had ik altijd zulke slechte cijfers. Achteraf zou ik liever wat harder hebben gewerkt. Dan had ik iets anders kunnen worden.'

'Wat dan?' vraag ik.

'Misschien verloskundige of arts. Huidarts of iemand die niet zo hard hoeft te werken. Plastisch chirurg misschien. Maar dan geen borstenchirurg, maar eentje die mensen oplapt die verminkt zijn geraakt. Dat zou leuk zijn.'

'En het is nog een beroep met veel status ook,' zeg ik plagerig.

'Ach,' zegt mijn vader. 'Status doet me niks. Daar heb ik me nog nooit druk om gemaakt.'

Dan is het mijn beurt om verbaasd te zijn, voor de tweede keer binnen een paar minuten.

'Hè?' roep ik uit. 'Je was er zo trots op dat je hoofdcommies was.'

'Ja, maar dat was alleen omdat ik dacht dat je moeder ervan onder de indruk zou zijn.'

'Echt waar?'

'Ja, maar ze was er niet van onder de indruk. Ze noemde me hoofdmarkies.'

Wanneer mijn zoon dat hoort, begint hij te schateren.

'Lach jij maar,' zegt mijn vader. 'Wacht maar tot je zelf trouwt, dan zul je wel zien hoe dat is.'

We rijden verder naar het zuiden, naar de woonplaats van mijn opa Erwin. Naarmate we dichter bij het doel van onze reis komen, wordt het landschap steeds opener en de rivieren en velden worden groter en mooier. Tegelijkertijd betrekt de lucht en komen er donkere wolken boven ons opzetten die het licht van de zon buitensluiten. Het duurt niet lang of het begint te regenen. Eerst zacht en daarna zo hard dat we de weg voor ons nauwelijks kunnen zien. We minderen vaart en rijden voorzichtig verder terwijl de regen met bakken uit de lucht komt en het begint te donderen en te bliksemen. Het onweer is zo dicht bij ons dat we niet ontkomen aan een grapje over de geest van Hermann Isakowitz die ons welkom heet. De erfgenamen die zijn schat komen halen.

'Je weet toch dat hij het IJzeren Kruis heeft gekregen, hè?' vraagt mijn vader wanneer we de stad naderen.

'Wie?' vraagt Leo.

'Mijn opa. Voor dapperheid in de strijd. Tijdens de Eerste Wereldoorlog vocht hij in het Duitse leger.'

'O ja?'

'Maar die medaille hebben ze hem weer afgenomen toen Hitler aan de macht kwam. Het zal wel gênant geweest zijn dat een Jood die had gekregen.'

21

Wie denk je (wel) dat je bent?

Het hoost nog steeds wanneer we Kwidzyn binnenrijden en parkeren op wat de hoofdstraat van de stad lijkt te zijn. Het plan is om vanaf hier de weg te vragen naar het gemeentehuis, waar ik heb afgesproken met een geschiedkundige die hopelijk meer kan vertellen over de plek waar mijn overgrootvader zijn schat heeft begraven. We zijn bij lange na niet de eerste Zweden die hier iets komen halen. Tijdens wat ze in Polen 'Potop szwedzki' (de Zweedse zondvloed) noemen, nam het leger van Karl X Gustav de stad tussen 1655 en 1660 tweemaal in. Een actie die, volgens de plaatselijke geschiedschrijving, vergezeld ging van hevig teisteren en plunderen. In tegenstelling tot de Zweedse soldaten komen we hier niet om de stad en zijn inwoners te schenden, maar om door middel van beschaafde gesprekken meer te weten te komen over ons verleden om daarna, als Joodse ninja's, binnen te sluipen en terug te pakken wat ons toekomt.

We stappen uit en zetten voor het eerst voet op onze voorvaderlijke grond.

'Dit is het,' roep ik uit. 'Het doel van onze reis.'

'Het lijkt me een heel gewoon stadje,' zegt mijn vader en hij gaat voor een winkel staan om voor de regen te schuilen.

'Maar dat is het niet,' roep ik enthousiast. 'Het is het stadje van jouw opa. En van je vader.'

Wanneer mijn opmerking niet de reactie oplevert waarop ik had gehoopt, richt ik me tot Leo, die net uit de auto is gestapt en zich uitrekt na de reis.

'We zijn er,' zeg ik tegen hem. 'In de oude stad van onze familie. Wat vind je ervan?'

'Het is hier mooi,' zegt hij dan.

'Vind je?'

'Ja, want het regent, maar dat maakt niemand iets uit. Iedereen loopt zonder regenjas of paraplu en niemand trekt zich er iets van aan dat hij nat wordt. Dat is mooi. Op school moet je bij de eerste druppel al regenkleren aan.'

Ik knik instemmend, ga dan naast mijn vader staan en doe nog een poging om hem tot enig enthousiasme op te porren over dit historische moment, maar stuit op bijna volledige onverschilligheid. Het interesseert hem niet zo, verklaart mijn vader, en hij wil trouwens ook niet mee naar de afspraak.

Dus het draait erop uit dat mijn zoon en ik, nadat een jonge Poolse ons de weg heeft gewezen, samen het gemeentehuis binnenstappen en ons melden bij de receptie. Vrij snel daarna worden we opgehaald door de jongeman met wie ik eerder heb gemaild en hij neemt ons mee naar boven, naar een kamer waar de geschiedkundige wacht.

Zoals het allemaal gaat, lijkt het wel een aflevering van *Wie denk je dat je bent?*, het tv-programma waarin mensen op zoek naar hun roots in een archief komen waar de waarheid over hun oorsprong wordt onthuld. En waar ze, bij de klanken van sentimentele muziek, tot tranen geroerd raken wanneer ze horen dat hun oudoom schoenmaker was, aangezien dit tot een cruciaal inzicht leidt en hun duidelijk maakt waarom ze zo dol zijn op het kopen van schoenen.

Ik had gehoopt dat dit ook zoiets zou worden. Een moment van helderheid en begrip. Maar dat is niet zo. Misschien omdat het in het gemeentehuis ten enenmale ontbreekt aan bombastische, sfeerverhogende strijkjes en aan smaakvol gearrangeerd tegenlicht waar we bij kunnen huilen. Wat er wel is:

- een slecht verlichte kamer
- een tafel waaraan mijn zoon en ik, de man van de gemeente en de geschiedkundige zitten
- een dienblad met koffie.

Wat er gebeurt, is dit:

- we maken beleefd kennis met elkaar
- van de geschiedkundige krijg ik de wind van voren omdat ik in mijn wanhopige zoektocht naar informatie per ongeluk dezelfde vraag heb gemaild aan een heleboel verschillende personen op haar kantoor
- ik bied mijn verontschuldigingen aan voor mijn gebrekkige e-mailethiek (en neem me voor in het vervolg wat meer te zijn als mijn oma Sonja).

Daarna begint de geschiedkundige aan wat een chronologisch verslag van de geschiedenis van de streek zal blijken te zijn. Ze spreekt Pools, maar stopt af en toe, zodat de jongeman kan tolken. Ik probeer het zo goed mogelijk te volgen en onderbreek haar wanneer ik iets hoor wat met mijn familie te maken kan hebben, alleen om bruusk te worden terechtgewezen en te horen dat ik mijn vragen beter kan bewaren tot na het eind van de uiteenzetting.

Die neemt ruim veertig minuten in beslag en al die tijd zit mijn zoon aan het hoofdeinde van de tafel met zijn hoofd in zijn handen en probeert niet in slaap te vallen. De presentatie die we hier krijgen voorgeschoteld is niet direct op kinderen afgestemd en voor een negenjarige waarschijnlijk niet erg gemakkelijk te begrijpen. Maar hij houdt zich goed en we komen echt een heleboel interessante details te weten. Bijvoorbeeld dat er nooit meer dan een honderdtal Joden in de stad hebben gewoond, maar dat een groot deel van hen, net als mijn overgrootvader, patriotten waren die in de Eerste Wereldoorlog voor Duitsland vochten. De historica vertelt ook dat de relatie tussen Joden en christenen over het algemeen heel goed was, maar dat daar snel verandering in kwam toen de nazi's populairder werden.

Georg vertelde ons hier iets over toen we elkaar zagen. Hoe snel vrienden en bondgenoten in vijanden veranderden. Een van zijn sterkste herinneringen als kind was toen er arme Poolse arbeiders in de winkel van het gezin kwamen. Ze hadden nieuwe kleren nodig, maar ze hadden geen geld om ze te betalen, dus gaf mijn overgrootmoeder Dorotea hun de kleren gratis. Haar man, vertelde Georg, was nogal boos over die vrijgevigheid toen hij 's avonds de kas opmaakte. Maar dat deerde mijn overgrootmoeder niet, want ze was blij dat ze had kunnen helpen. Helaas had ze niet veel aan haar goede daad, want toen de Joodse winkels een paar jaar later geboycot werden, stonden dezelfde arbeiders voor hun deur om tegen de mensen te zeggen dat ze niet naar binnen mochten om er iets te kopen.

De historica vertelt niet veel over wat er in de stad gebeurde in de Hitlertijd. Alleen dat de Duitsers in 1935 vernielingen aanrichtten op de Joodse begraafplaats, dat de synagoge in brand werd gestoken tijdens de Kristallnacht en dat alle Joden van Marienwerder in de jaren dertig hun activiteiten moesten staken of hun zaak verkopen en de stad moesten verlaten. Mijn overgrootvader dus ook, en dat verbaast me, want ik had altijd gedacht dat hij hier was opgehaald door de nazi's.

Maar dat was niet de laatste keer in de turbulente geschiedenis van Marienwerder dat zijn huis van eigenaar zou veranderen. De volgende machtsverschuiving vond plaats begin 1945, toen het Rode Leger Marienwerder innam en er een Russische hospitaalstad van maakte. Die gebeurtenis, vertelt de historica, was een ramp voor de stad, aangezien de Russen tijdens hun korte verblijf ruim veertig procent van alle gebouwen in brand staken. Waaronder de huizen aan het plein waar de zaak van mijn overgrootvader zat.

'Wat is er met het gebied rondom het plein gebeurd?' vraag ik nadat ze haar verslag heeft afgemaakt.

'Toen de Russen vertrokken, was daar niets meer,' zegt ze.

'Niets?'

'Het terrein heeft vijftig jaar lang braak gelegen. Maar ruim tien jaar geleden besloot de gemeente het oude marktplein in ere te herstellen, en toen hebben ze een opgraving gedaan.'

'Wat hebben ze gevonden?' vraag ik.

'Niets van waarde. Alleen huishoudelijke voorwerpen, vorken en dergelijke.'

Nee, dit is echt geen wie-denk-je-dat-je-bentmoment. En het wordt er niet beter op wanneer de historica vervolgens vertelt dat er in het grote fotoarchief niet één foto van de heren- en jongenskledingzaak van Hermann Isakowitz te vinden is. Wat op zijn beurt betekent dat het niet helemaal zeker is waar de zaak stond, aangezien er vanwege de Russische gewoonte om belangrijke archieven in brand te steken geen betrouwbare documentatie over is uit de tijd voor 1945.

Als ik het goed begrijp, zijn er twee plaatsen waar de winkel kan hebben gestaan. Volgens de oude advertenties die ik heb gevonden was het adres Markt 11, en volgens sommige gemeentelijke documenten Markt 1. De historica wijst op een oude tekening aan waar deze gebouwen hebben gestaan. Maar de tekening is niet erg gedetailleerd en je kunt niet zien wat huizen en wat tuinen zijn, waardoor het nog moeilijker wordt om de plek te vinden die we zoeken.

Voordat we gaan, haalt de jongeman een toeristische plattegrond tevoorschijn en markeert de bezienswaardigheden die we volgens hem moeten bezoeken. Wanneer hij bij de Joodse begraafplaats komt, vertelt hij dat ze daar lange tijd last hebben gehad van diefstal. Dat de mensen grafstenen weghaalden om ze als vulmateriaal te gebruiken in de bouw, en dat de gemeente daarom alle overgebleven stenen naar een veilige plek heeft overgebracht. Aangezien er een kans is dat die van mijn overgrootvader ertussen zit, vraag ik of ik ze mag zien. Een verzoek dat, zo blijkt, zonder probleem ingewilligd kan worden. We maken een afspraak voor de volgende dag.

Daarna bedank ik hem hartelijk voor zijn hulp en duw mijn half slapende zoon de straat op. Het regent niet meer en de zon is tevoorschijn gekomen. Op een bankje voor het gemeentehuis zit mijn vader. Hij lijkt schaamteloos vrolijk en voldaan, ook al zijn we behoorlijk laat. Hij heeft door de stad gekuierd en na een poosje observeren de conclusie getrokken dat alleen de oude Polen chagrijnig zijn. De jonge zijn zo aardig als wat, zegt hij.

'Ze praten allemaal Engels, en een heleboel ook Duits,' zegt hij en hij kijkt me aan met een blik van 'wat zei ik je?'.

Wanneer hij geen reactie krijgt, kijkt hij eerst een beetje verbaasd en zegt dan: 'Maar wat zien jullie er moe uit. Vooral jij, Leo. Je lijkt gebroken.'

'Hij heeft een gemeenteraadsvergadering meegemaakt,' zeg ik. 'Van anderhalf uur.'

'Arme stakker,' zegt mijn vader. 'Help me onthouden dat ik je mijn oude vergadertrucje moet leren. Slapen met je ogen open. Onbetaalbaar voor een rijksambtenaar.'

We blijven een poosje zwijgend staan en dan wil ik vertellen wat we zojuist te horen hebben gekregen. Maar ik ben nog maar net begonnen als mijn vader me in de rede valt.

'Daar ben ik al geweest,' zegt hij.

'Waar?'

'Op het plein.'

'O ja?'

'Het ligt daar, aan het eind van deze straat. Kom maar mee. Het kost niet veel tijd, je loopt er in een paar minuten omheen.'

Eigenlijk heb ik nog geen zin om daar te gaan kijken, ik had liever willen wachten tot na mijn afspraak met Lukasz. Maar uiteindelijk ga ik toch mee. En mijn vader heeft gelijk. Met uitzondering van de enorme kathedraal die aan het plein staat, is de oude wijk van onze voorvader op geen enkele manier spectaculair. Het is een klein plein met kinderkopjes waarop een aantal auto's geparkeerd staat. Aan de ene kant staat een lelijk grijs appartementencomplex dat in de communistische tijd is opgetrokken en aan de andere kant een rij nieuwe gebouwen, uitgevoerd in iets wat waarschijnlijk oude stijl moet voorstellen. En recht voor ons, aan de overkant van het plein, staat een hoog hek waarachter het platteland zich uitstrekt. Het geheel, met uitzondering van de kathedraal en de velden, doet denken aan een half afgemaakt plein in het centrum van Vällingby.

'Hier is het,' zegt mijn vader en hij loopt naar het hek.

Ik kijk erdoorheen. Daarachter ligt alleen grind en steen. Als een bouwplaats waar niets meer is gebeurd nadat de graafmachine het hare heeft gedaan.

'Is het hier?' vraagt Leo.

'Daar lijkt het op,' antwoord ik.

Mijn zoon kijkt omhoog langs het hoge hek dat de plek omgeeft, alsof hij onderzoekt hoe gemakkelijk het zou zijn eroverheen te klimmen.

'Zullen we gaan zoeken?' stelt hij vervolgens voor.

Ik kijk om me heen. Naar de stenen en het stof waar het huis van onze familie ooit heeft gestaan, en naar de mensen die achter ons over het plein lopen.

'Nu niet, Leo,' zeg ik. 'Er zijn te veel mensen. We komen later terug, vanavond.'

Ik besef natuurlijk dat de kans dat we hier iets vinden op zijn best microscopisch klein is, maar wil toch een poging doen. Nu we hier toch zijn.

We blijven een paar minuten voor het hek staan kijken naar niets in het bijzonder. Daarna lopen we terug naar de auto. Ik ga achter het stuur zitten om naar het hotel te rijden, dat een paar kilometer buiten de stad ligt. Mijn humeur is na de anticlimax van de laatste uren gekelderd en ik heb geen zin in gezeur. Vooral niet van mijn vader, maar dat kan hij natuurlijk niet weten.

'Weet je zeker dat je het kunt vinden?' vraagt hij vanaf de achterbank.

'Ja.'

'Wil je niet even op het navigatieprogramma kijken voordat we gaan?'

'Nee.'

'Anders komen we er nooit.'

'We komen er heus wel,' zeg ik boos en ik rij achteruit de parkeerplaats af.

Er verstrijkt een minuut, misschien twee, en dan zegt mijn vader: 'Weet je wat het grootste probleem van de Polen is?'

Ik reageer niet.

'Ze drinken te veel.'

Ik reageer nog steeds niet.

'Heb je me gehoord?' vraagt mijn vader. 'Ze drinken te veel. De Russen idem dito.'

'Wat weet jij daarvan?' zeg ik dwars.

'Het is zo.'

'Ik heb hier nog geen dronkenlappen gezien,' zeg ik. 'Jij wel?'

'Dat komt omdat ze zo'n zwaar leven hebben. Ze drinken wodka om hun verdriet niet te voelen.'

'Denk je dat echt?' vraag ik een tikje arrogant.

'Ja, dat denk ik,' zegt hij net zo arrogant.

'Maar je weet het niet,' zeg ik weer. 'Je zegt maar wat, zonder dat je een idee hebt waar je het over hebt.'

'Dat is helemaal niet waar.'

'Dat is wel waar,' zeg ik. 'En ik weet nooit of je een grapje maakt of dat je het meent. Dat valt nergens uit op te maken.'

'Ik meen het altijd,' zegt mijn vader.

'Maar dat snapt niemand.'

'Ik snap het,' zegt hij. 'Dat is genoeg. En trouwens, hoe moet ik duidelijk maken wat ik bedoel als ik nooit mag uitspreken?'

'Hè?'

'Je valt me voortdurend in de rede,' zegt hij. 'Ik mag nooit afmaken wat ik wil zeggen.'

Ik bedenk dat ik eigenlijk kalm moet blijven en een diploma-tieke opmerking moet maken. Iets wat de scherpe kantjes van deze stomme discussie haalt en de rust in de auto doet weerkeren. Maar dat doe ik niet.

'Verdomme,' roep ik in plaats daarvan uit. 'Je maakt je verhaal toch ook nooit af?'

'Daar krijg ik de kans niet voor,' dient hij me van repliek. 'Omdat jij me in de rede valt. En omdat je zo verdomde koppig bent.'

'Ik ben niet koppig,' schreeuw ik koppig.

'Dat ben je wel.'

'Dat ben ik niet.'

'Jawel, want je gaat overal tegen in, het maakt niet uit waar het over gaat,' zegt mijn vader. 'Dat komt omdat je zo op mij lijkt.'

Ik zwijg en adem diep in. Ik klem mijn kaken op elkaar en overweeg of ik een sarcastische sneer zal uitdelen. Maar dat doe ik niet. Ik werp een nonchalante blik op het scherm van de te-lefoon, om niet te laten merken dat ik technische hulpmiddelen gebruik, en dan zeg ik: 'Ja, misschien wel.'

Tot mijn verdediging wil ik zeggen dat ik, na mijn kleine emo-tionele uitbarsting, relatief snel weer een behoorlijk humeur krijg en maar één keer verkeerd rij op weg naar Pensjonat Milosna. Tot onze grote vreugde blijkt het tiptop. Misschien niet zo elegant als het luxe hotel in Gdańsk, maar wel veel huiselijker. Bovendien is onze kamer echt gezellig en de badkamer zo ontzettend groot dat mijn vader mijn moeder meteen een sms'je moet sturen om haar van dat belangrijke feit op de hoogte te stellen.

Terwijl hij dat doet, bel ik Lukasz, die ons een kwartier later komt ophalen. Wanneer ik mijn vader vraag of hij mee wil, ligt hij al op bed te rusten en bedankt beleefd maar vriendelijk.

22

Edward Norton en ik

Lukasz laat ons instappen in zijn zwarte Volvo en rijdt dan in ijltempo de stad weer in. Hij is veel jonger dan ik had verwacht, rond de dertig, en heel aardig. Onder het rijden praten we wat in een mengelmoes van gebroken Engels en schoolduits. Ik vertel hoe blij we zijn hem te ontmoeten en hij vertelt hoe leuk hij het vindt om Isakowitz' nakomelingen te spreken. Aan veel meer komen we niet toe voordat Lukasz de hoofdweg verlaat, een woonwijk in rijdt en op een grote binnenplaats parkeert.

We stappen uit en lopen achter onze gastheer aan naar zijn appartement. Binnen ontmoeten we zijn vrouw en hun twee kinderen, een jongetje dat wat jonger is dan Leo en een meisje van bijna één. Lukasz laat ons plaatsnemen in de woonkamer en gaat naar de keuken om met zijn vrouw te praten. Hij komt terug met koffie en een berg lekkers. Mijn zoon gelooft zijn ogen bijna niet wanneer hij alle taarten, koekjes en stukken chocola ziet die voor hem neergezet worden, maar hij past zich snel aan de situatie aan en begint te eten. Eerst voorzichtig en dan in een steeds indrukwekkender tempo.

Tijdens het koffiedrinken vertelt Lukasz over zijn grote belangstelling voor de geschiedenis van zijn stad, en dat hij als kind al over braakliggende terreinen liep te zoeken naar oude spullen. Een hobby, vertelt hij, die in de loop der jaren in hevigheid is geëscaleerd en heeft geresulteerd in een grote verzameling voorwerpen en een kennis van Marienwerder die mijn contact in Warschau een 'goudmijn' noemde. Op dit moment wordt het grootste deel van die verzameling in zijn ouderlijk huis bewaard, maar het plan is een museum te openen en ze toegankelijk te maken voor het publiek.

Hij haalt een paar stapels oude foto's tevoorschijn en laat ze me zien. Veel ervan zijn van het deel van de stad waar mijn overgrootvader zijn winkel had, en dat lijkt in die tijd een heel chique plek te zijn geweest. Op de foto's zijn deftig geklede dames en heren te zien die over de kinderkopjes van het plein kuieren tussen winkels en rijtuigen. Motieven die mij doen denken aan de oude binnenstad van Stockholm of aan het gebied rond de domkerk van Uppsala.

'Er zijn niet veel foto's van de winkel van Isakowitz,' zegt Lukasz, 'want het raadhuis stond in de weg en het uitzicht naar de andere kant was beter. Maar hier heb ik er een paar.'

Hij loopt naar zijn computer en begint in de bestanden te zoeken en algauw heeft hij drie foto's op het scherm laten verschijnen. De eerste is genomen in de winkel van mijn overgrootvader. Er staan acht vrouwen op die stof knippen en naaien, en drie goed geklede mannen die achter een toonbank staan. Van wie er een, te oordelen naar zijn uiterlijk en lichaamstaal, vermoedelijk mijn opa Erwin als jongeman is.

De tweede foto is genomen vanaf de straat en laat zien hoe een jongetje, waarschijnlijk Georg, vanuit een raam op de tweede verdieping naar buiten kijkt.

Maar de derde foto is het interessantst. Daarop staan twee heren voor de winkel; ze poseren met hun handen op hun rug en zien er heel elegant uit. Ze hebben allebei een fraaie snor en dragen een driedelig kostuum. De man rechts moet Hermann Isakowitz zijn, want hij heeft iets merkwaardig bekends, ook al kan ik niet precies aangeven wat.

Terwijl ik de foto van de twee heren sta te bekijken komt Lukasz' vrouw de kamer in. Ze kijkt eerst naar de computer en dan naar mij, en barst dan in lachen uit.

'It is you,' zegt ze.

Ik kijk weer naar het scherm, naar de man die trots voor de etalage van Konfektionshaus HERZ poseert.

'He looks like you.'

Ik bestudeer het gezicht van mijn oude familielid iets meer in detail. De vorm ervan en de blik geven me het gevoel dat ik in een lachspiegel van rond 1900 kijk.

'*He looks like you,*' zegt Lukasz' vrouw weer.

'*Yes?*' zeg ik.

'*And like that actor...*'

'*Yes,*' zeg ik weer.

'...Edward Norton.'

Ik kijk weer even naar de foto. Hermann Isakowitz mag dan een betere kledingsmaak hebben gehad dan ik en een veel nettere snor, maar Lukasz' vrouw heeft gelijk. Ik had het heel goed kunnen zijn, als ik wat ouder was geweest en begin twintigste eeuw in een Duits stadje had gewoond. Jemig, wat lijken wij op elkaar. Hij en ik en Edward Norton.

Terwijl ik sta na te denken, komt Lukasz met een blaadje in zijn hand naar me toe.

'Een tijdje geleden ben ik gebeld door een vriend die zei dat hij een oude kaart had, dus die heb ik meteen gekocht,' zegt hij. 'Dit is een kopie. Het origineel hangt bij mijn ouders.'

Het is een overzichtskaart van de wijk rondom het plein. Een veel gedetailleerdere dan de kaarten die ik eerder heb gezien. Er is niet alleen op te zien waar de verschillende gebouwen stonden, maar ook waar hun binnenplaatsen en tuinen waren.

'Hermann Isakowitz had twee huizen,' zegt Lukasz. 'Hij begon zijn bedrijf in een ervan, en kocht er begin jaren twintig nog een.'

Hij wijst de percelen aan die gemarkeerd zijn als 'Markt 1' en 'Markt 11', en daarmee is het mysterie van de winkel van mijn overgrootvader opgelost. Die zat niet in een van beide huizen, maar in allebei.

We nemen nog wat koffie met lekkers en dan vertel ik wat mijn opa zijn kinderen over zijn verleden heeft verteld. Lukasz zwijgt en bestudeert de kaart die voor ons op tafel ligt nauwkeurig. Daarna zet hij zijn vinger op de binnenplaats van Markt 1.

'Dan zou dit de plaats moeten zijn waar Hermann Isakowitz zijn schat heeft begraven.'

*

Even later lopen we naar de auto en vervolgen onze tocht. Onder het rijden vertelt Lukasz over de plaatsen waar we langskomen. Over de synagoge die in brand is gestoken, over de straten waar vroeger woningen van Joden hebben gestaan en over het park dat ooit een Joodse begraafplaats is geweest en waar mijn over-grootmoeder Dorotea begraven ligt. Die kleren aan arme arbei-ders gaf en overleed op de dag waarop haar jongste zoon een uitreisvisum voor Argentinië kreeg. Dat is zo'n beetje het eni-ge wat we van haar weten: dat ze een goede moeder was en een empathische vrouw met een warm hart voor anderen. Wat wij Joden een *mentsj* noemen. Een ideaal dat voor ons even nastre-venswaardig is als gelijkheid voor de Zweden, en minstens even moeilijk te bereiken.

We maken een korte stop in haar park, dat nu vooral een uit-laatplaats voor honden lijkt te zijn, en rijden dan verder naar het oude plein bij de kathedraal. Ik stap als eerste uit en ben al een eind op weg naar de uitgraving wanneer Lukasz me tegenhoudt.

'Nee,' zegt hij. 'Daar is het niet.'

'O nee?'

'Nee,' antwoordt hij, 'het is hier.'

Hij wijst naar de hoek van een nieuwbouwflat van drie verdie-pingen aan de kathedraalzijde van het plein. Een gebouw dat in niets lijkt op de oude huizen die ik nog maar een uur geleden op Lukasz' computer heb gezien.

'Ze zijn niet in dezelfde stijl gebouwd,' zegt hij, 'maar ze staan op dezelfde plaats.'

En warempel, waar ooit Konfektionshaus HERZ stond, zit nu een winkel die goedkope drank, wijn en bier verkoopt. We lo-pen naar de ingang en Lukasz wijst waar de etalage van de oude winkel moet hebben gezeten en waar de klanten naar binnen en naar buiten moeten zijn gegaan. Dan draait hij zich om naar het verlaten plein en begint een beeld te schetsen van hoe het leven hier vroeger was. Hij vertelt over de Joodse huizen die in de buurt stonden en over het raadhuis dat voor ons op het plein stond. Over de winkels die ernaast stonden en de winkeliers.

Over kooplieden die medicijnen, leer, sieraden, bont en schoenen verkochten. Over een krioelende menigte en een plein waar kinderen speelden en mensen werkten en met elkaar omgingen.

We staan even uit te kijken over de lege vlakte die ooit een levende handelsplaats was, draaien ons dan om en lopen langzaam terug naar de auto. Maar we zijn de hoek nog maar net om wanneer Lukasz plotseling blijft staan.

'Hier,' zegt hij en hij wijst naar de binnenplaats van de slijterij. 'Hier was de tuin waar Isakowitz zijn schat heeft begraven.'

Ik kijk naar een geasfalteerd oppervlak dat doorloopt naar een ondergrondse parkeergarage en besef dat we een aantal jaren te laat zijn gekomen. De hele boel is al uitgegraven en gerenoveerd en de kans hier iets te vinden is niet meer microscopisch. Die is nul.

'Is het hier?' vraagt Leo.

Ik knik.

'Dus we kunnen niet graven?' zegt hij na een poosje.

'Nee,' antwoord ik. 'Ik denk niet dat dat kan.'

Ik kijk naar mijn zoon en dan weer naar het terrein. Ik weet niet goed wat ik moet zeggen, dus ik zeg maar niets. Ik blijf gewoon zwijgend naast hem staan.

'Ben je teleurgesteld?' vraag ik ten slotte.

Hij haalt zijn schouders op, nog steeds met zijn blik gericht op de plaats waar volgens mijn opa Hermann Isakowitz zijn schat moet hebben begraven.

'Nou ja,' zegt hij. 'Dat maakt niet uit. Het waren toch vast gewoon oude foto's en zo.'

Ik kijk weer naar mijn zoon. Hij kijkt echt niet teleurgesteld en dan dringt het opeens tot me door dat dit helemaal niet hetzelfde jongetje is dat twee jaar geleden bedacht dat we moesten gaan schatzoeken. Toen had hij nog die open blik die kinderen tot een bepaalde leeftijd hebben en die zo heerlijk naïef en pienter tegelijk is. Dit is de blik van iemand die ouder en wijzer is en ook, neem ik aan, realistischer. Iemand die al lang geleden heeft ingezien dat de kans dat we een kist met goud zouden vinden minimaal was, maar die toch mee wilde gaan zoeken.

Ik sla een arm om hem heen. Mijn fantastische, lieve negenjarige zoon. En dan staan we samen te kijken naar niets in het bijzonder: het asfalt, de gebouwen en het oude plein dat ooit zo vol leven was.

'Voordat ze de nieuwe flats bouwden, is hier gegraven,' hoor ik Lukasz zeggen. 'Ik probeerde binnen te komen om een kijkje te nemen, maar er stond een hoog hek omheen en er waren bewakers, dus dat lukte niet.'

'Bij de gemeente zeiden ze dat ze niets van waarde hadden gevonden,' zeg ik. 'Alleen vorken en zo.'

'Ja,' antwoordt Lukasz, 'en als ze iets anders hebben gevonden is dat onderweg verdwenen. Ik weet niet of het waar is, maar er wordt gezegd dat de archeologen spullen in eigen zak hebben gestoken.'

En dat was het dan. De zoektocht naar de schat is afgelopen, voordat we ook maar een schop in de grond hebben gezet. Maar dat maakt niet uit. Want wanneer we hier staan uit te kijken over de Marktplatz voel ik alleen maar een grote blijdschap. Toen we hier kwamen, een paar uur geleden nog maar, vond ik het terrein lelijk en saai. Maar om de een of andere reden voel ik nu een sterke band met dit armzalige pleintje. Misschien komt het door alle verhalen van Lukasz of doordat het avondlicht alles wat het aanraakt zo onzettend mooi maakt. Ik weet het niet, maar ik betrap mezelf op de gedachte dat dit een heel mooie plaats moet zijn geweest om te wonen en een winkel te hebben voordat Hitler aan de macht kwam.

*

We lopen terug naar de auto. Lukasz rijdt het plein over en brengt ons naar het huis van zijn ouders. In een minuut of vijf zijn we daar; we parkeren in een villawijk en lopen een van de huizen binnen. In de hal ontmoeten we de moeder van Lukasz. Ze groet me vrolijk en wanneer het tot haar doordringt dat ik de verzameling van haar zoon kom bekijken, lacht ze en schudt berustend haar hoofd. Ik begrijp niet veel van wat ze zegt, maar trek snel de conclusie dat ze uitkijkt naar de dag waarop Lukasz zijn museum opent en zijn tentoonstellingsobjecten uit haar huis weghaalt.

'Ze begrijpt niet goed waar ik mee bezig ben,' zegt hij wanneer we verder lopen. 'Van de ouderen begrijpt bijna niemand dat. Alleen wij jongeren zijn geïnteresseerd in hoe het hier vroeger was.'

'Hoe komt dat?' vraag ik.

'Misschien omdat we het grootste deel van ons leven vrij zijn geweest.'

'Vrij?'

'Ja, al twintig jaar nu. Sinds de val van het communisme.'

Lukasz opent een deur en loopt de trap af naar de kelder. We volgen hem op de voet en komen algauw terecht in een ruimte vol spullen uit het verleden van Marienwerder. Hier is alles, van helmen en glazen flessen tot propagandaposters en metalen borden die doorboord zijn door Russische kogels, objecten die mijn zoon zeer nauwkeurig onderzoekt. Uit zijn opmerkingen blijkt dat hij heel erg onder de indruk is van de verzameling, en bovendien dolgelukkig dat hij zoiets zeldzaams is tegengekomen als een volwassen spullenzoeker. En hij raakt nog meer geïmponeerd wanneer hij hoort dat in de kelder maar een fractie ligt van de spullen die Lukasz heeft verzameld. De interessantste vondsten, beseffen we algauw, staan in de kamer op de bovenverdieping, de volgende halte op onze rondleiding. Want daar, in de oude jongenskamer van onze gastheer, bewaart hij de objecten waar hij het zuinigst op is: oude kaarten, reclameborden, voorwerpen van porselein en een heleboel dozen met foto's, ansichtkaarten en historische documenten.

Uit een van die dozen haalt Lukasz een paar oude kranten en hij laat me een aantal advertenties zien van de winkel van mijn overgrootvader. Sommige heb ik al eerder gezien, andere komen me niet bekend voor. Daarna loopt hij naar een klerenkast die aan de andere kant van de kamer staat en opent de deur.

'Deze heb ik een tijdje geleden gekocht,' zegt hij. 'Hij stond in een van de winkels aan het plein. En kijk eens wat erin zit.'

Hij steekt zijn hand in de kast, haalt er een hangertje uit en geeft dat aan mij. Eerst begrijp ik niet waarom, maar dan kijk ik nog eens beter.

Het komt uit de winkel van mijn overgrootvader. Eigenlijk is het maar een simpel dingetje, gewoon een kleerhangertje, maar toch ben ik als een kind zo blij. Wanneer Lukasz vervolgens zegt dat hij dat aan mij wil geven als aandenken aan onze reis, dan ontroert me dat zo dat ik nauwelijks weet wat ik moet zeggen. We blijven even zwijgend staan, totdat ik weer in staat ben een woord uit te brengen en hem hartelijk bedank voor het mooie cadeau. Dan gaan we naar beneden om in de woonkamer iets te drinken met zijn moeder.

Het is een mooi einde van een lange, vermoeiende dag, en ik ben zo blij dat ik deze mensen heb ontmoet die ons zo veel hartelijkheid en zorg hebben betoond, die hun huis voor ons hebben opengesteld en ons verblijf bijzonder hebben gemaakt.

Na het drankje brengt Lukasz ons terug naar het hotel. We omhelzen elkaar en zeggen tot ziens, en daarna rennen Leo en ik de trap op naar onze kamer, waar we dolgelukkig aan mijn vader vertellen wat we hebben meegemaakt. En het lijkt wel of ons enthousiasme aanstekelijk werkt. Want hij leeft op en het lijkt alsof hij het echt leuk vindt wat hij te horen krijgt. Wanneer we daarna met het hangertje op de proppen komen en opperen dat hij, als hoofd van de familie, dat moet hebben, wordt hij bijna net zo buitensporig blij als ik.

Ondanks de afwezigheid van de schat is het een mooi einde van een lange dag. De irritatie van vanmiddag is als sneeuw voor de zon verdwenen en het voelt goed dat mijn vader en ik, naast ons eeuwige gezeur, ook simpele, ongecompliceerde vreugde kunnen delen. Wie weet, misschien gaat ons contact morgen wel weer terug naar zijn normale toestand, maar op dit moment is het allemaal plezierig. Zo plezierig dat het bijna alleen daarom al de moeite waard was om helemaal hierheen te rijden.

23

De Joodse grafsteenkamer

We worden laat wakker en maken ons snel klaar om op tijd in de eetzaal te zijn voor ons dagelijkse ontbijtbuffet. Het aanbod is ditmaal veel kleiner dan op de boot en in het luxe hotel. Er is brood, er zijn cornflakes en yoghurt, en een paar kuipjes jam en marmelade. Toch is mijn vader heel tevreden en hij roept dit ontbijt uit tot het beste van allemaal. Het maakt vooral diepe indruk op hem dat de vriendelijke serveerster roerei voor ons maakt, ook al zijn we de enige gasten in de zaal.

'Maar hun douches waren niet zo goed,' zegt hij tussen de happen door. 'De kranen zitten verkeerd om. Zo zouden we het in Zweden nooit doen.'

'Je bent nu niet in Zweden,' zeg ik.

'Ik denk dat ze het zelf hebben gedaan. De koude en de warme kraan omgedraaid. Vast omdat je dan minder lang doucht.'

'Dat denk ik niet.'

'Jawel, hoor,' zegt mijn vader. 'Dan wordt er minder warm water gebruikt. Het zijn leperds, die Polen.'

Terwijl we zitten te eten van ons exclusieve roerei en cupjes marmelade in onze zak stoppen, komt de jongeman van de gemeente aanlopen in gezelschap van een collega. Ik groet de twee heren en stel ze vervolgens aan mijn vader voor, die straalt als een zonnetje en geweldig hartelijk wordt.

'Wat leuk!' zegt hij en hij schudt de hand van de jongeman. 'Ik heb zo veel goeds over je gehoord.'

'Dat is hem niet,' fluister ik in het Zweeds, wat een beetje vreemd is omdat de mannen geen Zweeds kennen en er geen enkele reden is om te fluisteren.

'Erg aardig van je dat je de jongens overal hebt rondgeleid,' gaat mijn vader verder.

'Dat is hem niet,' sis ik. Nu hoort mijn vader het en daarom richt hij zich tot de collega van de man.

'En bedankt voor het kleerhangertje,' zegt hij tegen de man die ik nog nooit eerder heb gezien. 'Het is echt heel mooi.'

'Dat is hem ook niet,' zeg ik en daarna loop ik weg met de twee mannen voordat mijn vader per ongeluk iets zegt in de trant van dat het vast veel leuker was geweest hen te ontmoeten dan om bij die saaie gemeenteraadsvergadering te zitten.

Aangezien Leo en mijn vader ditmaal geen van beiden zin hebben om mee te gaan, laat ik mijn reisgenoten achter in de eetzaal, loop naar de parkeerplaats en stap bij de jongeman in de auto. Terwijl we naar het centrum rijden, vertelt hij hoe goed het gaat met hun stadje. Hoe snel het groeit, hoeveel nieuwe bedrijven er uit de grond schieten en hoeveel spannende bouwprojecten er uitgevoerd worden. Ik luister niet echt. Hun belangstellingssfeer en de mijne verschillen fundamenteel. Zij richten zich op de toekomst, ik richt me op het verleden. Zij op dingen die het nieuwe Kwidzyn succesvol kunnen maken, ik op de geheimen die zich in het oude Marienwerder verbergen.

Na een korte rit slaat de jongeman af en parkeert achter een groot gebouw dat me aan mijn oude middelbare school doet denken. We stappen uit, lopen het gebouw in en worden door een conciërge binnengelaten in een donkere, stinkende kelderruimte. En daar staan ze, alle grafstenen die de gemeente van de Joodse begraafplaats heeft gered. Verbazingwekkend genoeg staan er geen Duitse teksten op, maar Hebreeuwse. Een taal die ik zou moeten kunnen lezen, maar waar ik geen klap van begrijp omdat ik alles vergeten ben wat ik als kind heb geleerd. Toch geef ik het niet op en loop, vergeten talenkennis of niet, door de kelder en probeer de tekst op de zerken zo goed mogelijk te lezen op jacht naar sporen van Dorotea Isakowitz. Aangezien mijn overgrootmoeder zo jong is overleden, weten we niet meer van haar dan wat haar zoons hebben verteld, informatie die eigenlijk te fragmentarisch is om je een beeld te kunnen vormen van wie ze werkelijk was. Toch doe ik dat. Ik neem de weinige puzzelstukjes die beschikbaar zijn en op grond daarvan schets ik een beeld van haar als een echte mentsj.

Zo doen wij mensen dat. Als we een incomplete cirkel zien, trekken we de strepen die nodig zijn om hem heel te maken. Als we een incomplete geschiedenis zien, vullen we die aan. En hoe minder puzzelstukjes we tot onze beschikking hebben, hoe minder we weten, des te eenvoudiger is het om een overtuigd oordeel te vellen over het beeld dat we hebben gecreëerd. Hoe het eruitziet en wat het betekent.

Datzelfde heb ik ook bij mijn opa gedaan, realiseer ik me. Mijn beeld van hem is lange tijd nogal eenzijdig geweest en niet bijzonder vleiend. Maar hoe meer je ergens over te weten komt, des te moeilijker wordt het om daar iets over te zeggen. En we zouden nog veel meer te weten komen, bleek later.

Dat weet ik echter niet wanneer ik door de kelderruimte van de gemeente sjok en Hebreeuwse grafstenen probeer te duiden. Het is een frustrerende taak die ik, hoe ik mijn best ook doe, niet tot een goed einde kan brengen. Toch geef ik me niet gewonnen, ik loop van de ene steen naar de andere in de hoop dat ik iets zal vinden, wat dan ook, wat ik mee kan nemen hiervandaan.

Pas na lang zoeken geef ik het op en vraag om een lift terug. Wanneer ik in de auto stap, ben ik opeens bekaf. Het wordt me gewoon te veel. Al die scherven van bruut kapotgeslagen levens die om ons heen verspreid liggen, en waarvan ik om de een of andere reden had gedacht dat ik ze zou lijmen. Maar dat lukt niet. Het gaat gewoon niet. Hoe dichter we bij het hotel komen, des te gefrustreerder word ik. Uiteindelijk kook ik bijna over van deze mengeling van moedeloosheid, ergernis en tekortschieten.

Zo ben ik eraan toe wanneer ik de deur van onze hotelkamer open en mijn zoon en mijn vader heftig discussiërend aantref over het potje schaak dat ze zojuist hebben gespeeld.

'Ik heb gewonnen,' schreeuwt mijn zoon.

'Je moet "schaak" zeggen,' zegt mijn vader. 'Anders is het niet eerlijk.'

'Ik heb toch gewonnen.'

'Helemaal niet, valsspeler. Je moet "schaak" zeggen. Anders geldt het niet.'

Ze zaniken maar door terwijl ik sta te wachten.

'Ik heb haar grafsteen niet gevonden,' zeg ik na een tijdje.

'Van wie?' vraagt mijn vader.

'Van jouw oma.'

Mijn vader knikt en zet de stukken op voor een nieuwe partij.

'Trouwens,' zegt hij dan, 'waarom had je niet gezegd dat die man van de gemeente vanochtend zou komen? Het was echt gênant.'

'Dat had ik gezegd,' zeg ik.

'Maar je had toch met die andere jongen afgesproken?'

'Nee, ik zou die ambtenaar spreken. Lukasz wilde met jou afspreken, maar daar had je geen zin in, zei je.'

'Zin, zin,' zegt mijn vader schouderophalend. 'We hebben het kleerhangertje, dat is voor mij genoeg.'

Wanneer ik het gebrek aan enthousiasme in zijn stem hoor, is het net alsof er iets in mij knapt. Ik was al boos, dus het heeft eigenlijk niets met mijn vader te maken. Maar toch word ik zo kwaad omdat het hem zo weinig kan schelen. Dit is ook zijn familie. Dit is de plaats waar de winkel van zijn opa heeft gestaan en waar zijn vader is opgegroeid.

'Dit kan jou allemaal niets schelen, hè?' vraag ik.

'Wat niet?'

'Wat er met onze familie hier is gebeurd.'

'Dat kan me heus wel schelen.'

'Dat kan ik moeilijk geloven,' zeg ik verwijtend en ik voel hoe ik weer bijna begin te koken. Het lijkt wel of ik weer puber ben, en boos word omdat mijn vader niet dezelfde schrandere kijk op de wereld heeft als ik. Omdat hij niet snapt dat dit voor hem ook belangrijk zou moeten zijn.

'Het kan me heus wel schelen wat er gebeurd is,' zegt hij ten slotte. 'Waarom zou ik anders aan stamboomonderzoek doen?

Dat doe ik voor onze hele familie, niet alleen voor mezelf.'

'Dat is toch alleen maar informatie over wanneer mensen zijn geboren en overleden,' kraam ik uit. 'Het verklaart niets.'

'Voor mij is het genoeg,' antwoordt mijn vader. 'En ik vind dat er belangrijker dingen zijn dan wroeten in het leven van verre familieleden. Zoals zorgen voor wat je hebt. En trouwens,' voegt hij eraan toe, 'zulke informatie vind je hier niet, op een plek waar al bijna tachtig jaar geen familie van ons meer woont. Die vind je in archieven en op internet.'

'Waarom moet je altijd zo verrekte negatief zijn?' begin ik. Maar ik zwijg wanneer het tot me doordringt dat mijn zoon naast me staat en me met een verbaasde blik aankijkt. Een blik die ik niet goed herken. En dan schaam ik me, omdat ik mezelf niet in de hand had en veranderd was in een kind. Terwijl ik eigenlijk verstand genoeg zou moeten hebben om zijn vader te zijn.

Maar mijn regressie lijkt toch effect te hebben gesorteerd, want mijn vader staat met zijn mond vol tanden. Zijn armen hangen langs zijn lichaam en hij ziet er compleet moedeloos uit. Zeker een halve minuut staat hij daar zo en dan zegt hij zacht: 'Ik ben niet negatief. Ik ben moe.'

'Wat?'

'Sinds mijn operatie. Ik kan niet zoveel meer hebben, en ik heb last van alle medicijnen die ik slik.'

'O ja?'

'Ja.'

'Waarom heb je daar niks van gezegd?'

'Dat heb ik je al vaak uitgelegd.'

'Nee, toch?'

'Jawel, en bovendien wil ik niet de hele tijd over mijn problemen zitten te zeuren. Ik dacht dat je dat begreep. Maar je hebt gelijk. Ik had er niet zo veel belang bij om hierheen te gaan. Ik vond het niet belangrijk. Maar jij vond het belangrijk, en daarom ben ik meegegaan. Voor jouw plezier, niet voor het mijne.'

Voor de verandering sta ik met mijn mond vol tanden.

24

Een mentsj blijven

Wanneer mijn vader en mijn zoon na het diner naar bed zijn gegaan, ga ik naar de hotelbar. Het is er leeg. Het lokaal is voor de helft onverlicht en het enige menselijke wezen dat ik zie, is de jonge Poolse die achter de bar staat. Ik ga zitten en bestel een biertje dat ik snel achteroversla, en dan nog een. Ik voel dat ik het nodig heb. Even op adem komen en alles gewoon loslaten. Het moet nu maar genoeg geweest zijn met dit zoeken naar antwoorden en het wroeten in het verleden van de familie Isakowitz. We zullen toch nooit precies weten wat er gebeurd is, hoeveel archieven we ook bezoeken. Want mijn opa verzweeg zoveel. Had hij maar meer verteld. Want hoe meer ik begrijp van de tragische geschiedenis van zijn familie, des te meer verwantschap ik voel met die arme man.

Maar ik voel vooral verdriet. Verdriet om wat hij en andere familieleden hebben meegemaakt en verdriet omdat ze er niet over hebben verteld aan hun kinderen, zodat die het konden begrijpen. Maar misschien ging dat niet. Misschien was het zo pijnlijk dat ze alleen maar konden overleven als ze probeerden te vergeten wat geweest was en weer vanaf nul begonnen. Misschien kon mijn opa daarom het contact met zijn broer niet aan. Wie weet? Wie weet überhaupt hoeveel een mens kan hebben voordat hij uiteindelijk breekt? Ik niet, ik ben nooit in omstandigheden geweest die mijn karakter serieus op de proef hebben gesteld. Ik heb in mijn hele leven nog niet één keer een keuze op leven en dood hoeven maken om daarna verder te leven met de gevolgen. Ik ben opgegroeid in een rustige, veilige omgeving die mijn familieleden aan het paradijs moet hebben doen denken.

Dat begreep ik toen natuurlijk niet. Ik vond het normaal, zoals ik alle rechten vanzelfsprekend vond waarvoor mijn grootouders zo'n beetje alles gedaan zouden hebben. Het recht om te wonen waar ik wil, naar school te gaan, te reizen en werk te doen dat mij juist lijkt. Al die voorrechten, zoals ouderschapsverlof en gratis onderwijs, waar we niet bij nadenken zolang ze er zijn. We zijn eerder geneigd erover te klagen of meer te willen; of we proberen, zoals ik heb gedaan, de goede voorzieningen te ontvluchten omdat die je vrijheid ook kunnen beknotten. Iets wat alleen mensen die in veiligheid zijn opgegroeid zich kunnen veroorloven.

Wie het ooit aan fundamentele rechten heeft ontbroken, wil waarschijnlijk niets liever dan stilletjes opgaan in de grijze massa en net zo worden als iedereen. Vanuit dat oogpunt bekeken is de naamsverandering van mijn opa Erwin opeens niet meer slap, maar volkomen vanzelfsprekend. Ik weet niet eens waarom ik het eerder laf van hem vond om zijn identiteit in te ruilen. Misschien heb ik te veel films gezien met eenzame helden die opkomen voor de dingen waar ze in geloven, of ben ik nog nooit in een situatie geweest waarin je een veel te hoge prijs betaalt wanneer je dat doet. Want het is natuurlijk makkelijk om een mening te hebben en precies te weten wat je moet doen wanneer je op veilige afstand zit met het antwoordenboekje in je hand. Zoals wanneer ik een spottende opmerking maak over de lafheid van mijn land tijdens de oorlog of over de Zweedse tandelozetijgerpolitiek die erop neerkwam dat je je mond moest houden en nooit partij mocht kiezen. Maar zoals gezegd, het is makkelijk om moedig te zijn van een afstand. Wanneer je weet wat de prijs ervan is, wordt het moeilijker. Of zoals mijn zoon opmerkte nadat ik een keer mijn gal had gespuugd over de 'zogenaamde' neutraliteit van Zweden: 'Ik ben blij dat ze laf waren.'

'Wat zeg je?' vraag ik.

'De Zweden,' legt hij uit. 'Het was mooi dat ze laf waren tijdens de oorlog.'

'Hoezo?' vraag ik. 'Hoe bedoel je?'

En dan kijkt hij me aan met die blik die kinderen reserveren voor volwassenen die zo traag van begrip zijn dat het eigenlijk te veel moeite is hun iets uit te leggen.

'Zodat de mensen niet hoefden te vechten, Danny,' zegt hij ten slotte. 'Zodat ze niet hoefden te sterven.'

Ook Ruth zat op die lijn wanneer het onderwerp ter sprake kwam.

'Veel mensen maken de Zweden verwijten voor wat ze tijdens de oorlog hebben gedaan,' zei ze. 'Maar we kunnen alleen maar blij zijn dat we het hebben overleefd. Als Zweden die politiek niet had gehad, hadden we allemaal het loodje gelegd. Na de oorlog hebben we een lijst gezien en daaruit bleek wat we altijd al hadden gedacht: dat wij bij de eersten waren geweest die de Duitsers hadden laten deporteren.'

Terwijl ik daar aan de bar zit en het ene biertje na het andere bestel, denk ik na over dit verhaal en andere verhalen die ik van mijn familie van moederskant heb gehoord. En het dringt tot me door dat ze waarschijnlijk niet alles hebben verteld. Want ook al zijn hun verhalen hier en daar vreselijk, ze concentreerden zich in de eerste plaats op het positieve. Op hun gemeenschap en hun saamhorigheid, hoe ze er ondanks de problemen in slaagden een goed leven op te bouwen in het nieuwe land. Dat was een zeer bewuste keus, denk ik. Iets wat bijzonder duidelijk wordt in een oud interview met Heinz waarvan ik voordat we aan deze reis begonnen een opname heb bekeken.

Tijdens het interview wordt aan de broer van mijn opa Ernst gevraagd hoe het was om in het concentratiekamp te zitten. Bij die vraag stopt hij midden in een beweging en kijkt de vragensteller verbaasd aan, alsof hij zijn oren bijna niet kan geloven. En wanneer zijn antwoord komt, is het niet het antwoord dat je zou verwachten. Hij noemt niets van de dingen die Kiewe me heeft verteld. Zoals dat ze in alleen een lange onderbroek urenlang in de rij moesten staan in de winterkou en dat degene die niet meer kon blijven staan werd doodgeschoten. Of dat de gevangenen die probeerden hun gevallen kameraden te helpen werden geëxecuteerd. Of dat de bewakers voor de grap riepen dat er brand was in de barakken en dan de gevangenen doodschoten die naar buiten kwamen rennen. Dat vertelt Heinz allemaal niet. In plaats daarvan kijkt hij de vragensteller alleen aan en zegt: 'We waren jong en in staat om de doden naar buiten te brengen.' En dat met een vanzelfsprekendheid die mensen die nooit iets dergelijks hebben meegemaakt niet kunnen begrijpen.

Wat mijn oma Helga betreft, ik zie dat ook zij dingen heeft verzwegen die te naar waren om bij stil te staan. Ze vertelt altijd over de sieraden die haar moeder in het marsepein had verstopt, over hoe slecht ze werd behandeld in Zweden, en over het vliegtuig op Bromma dat nooit vertrok.

Ik moet denken aan een bezoek dat ik haar afgelopen winter heb gebracht. Ik maakte eten klaar dat ze zoals gewoonlijk niet wilde hebben, maar toch opat, we dronken koffie en we legden een kaartje. Mijn idee was dat ik haar wat meer wilde vragen over wat ze als kind had beleefd, maar dat kwam er op de een of andere manier niet van. Dus we praatten wat over andere dingen. Over het leven, de familie en mijn kinderen. En ergens tijdens onze discussie zei mijn oma voor de naar mijn gevoel duizendste keer hoe mesjoega het was dat ik mijn derde zoon de naam Moses had gegeven. Toen werd ik uiteindelijk echt kwaad en ik vroeg wat ze eigenlijk tegen die naam had.

Haar reactie was onverwacht. Ze keek me alleen met een vragende uitdrukking aan, alsof ik van een andere planeet kwam, en vervolgens zei ze zacht: 'Maar toe nou, kleine Dannile. Ik heb in Berlijn zo veel geweldige Joodse jongetjes gekend die Moses heetten en die zijn vermoord.'

En toen was het net alsof er een opening kwam in haar anders zo harde façade en ik een glimp te zien kreeg van wat erachter zat. Alsof ik even door al die rimpels en ouderdomstekens heen kon kijken en dat verwende nest in Berlijn zag zitten. Het meisje dat omgeven was door mensen die van haar hielden en dat in een fantastische zeepbel leefde waar niets onmogelijk was. Waarschijnlijk werd alles daarom later zo moeilijk. Of zoals ze het zelf uitdrukte: 'Met zo'n jeugd denk je niet na, en wanneer dan alles instort, blijft er niets van je wereld over. Daarom ben ik zo hard geworden, en daarom vind ik dat anderen ook wel wat beter hun best kunnen doen in dit leven. Het is niet zo moeilijk, en je hoeft niet alles te kunnen om te kunnen leven. Maar je moet menselijk zijn. Je moet een mentsj zijn.'

En nu is zij dus als enige over. De laatste van al die overlevers met wie ik ben opgegroeid. Deze hartelijke en zeurderige mensen die je volstoppen met eten, je over de wang aaien en naar knoflook ruiken. Deze beschadigde en fantastische mensen die zo veel eten in de vriezer hadden dat het voor een hele wereldoorlog genoeg was geweest, en van wie ik zoveel hield. En die er, ondanks alles wat ze hadden doorstaan en verloren, voor een groot deel toch in waren geslaagd mentsj te blijven.

*

Ik drink de laatste slok bier op, betaal en waggel terug naar mijn kamer. Daar liggen mijn vader en mijn zoon te slapen. Ik sluip voorzichtig naar binnen, kleed me uit en kruip in het lege bed. Daar lig ik vervolgens onder het dekbed te luisteren naar hun kalme, gelijkmatige ademhaling, terwijl mijn gedachteflarden over toen en nu langzaam verflauwen om uiteindelijk over te gaan in een diepe, aangename slaap.

25

And so it goes...

We checken uit en rijden naar de Marktplatz om nog een laatste kijkje te nemen bij de oude buurt van de familie voordat we de stad verlaten. Als we daar zijn, vertel ik mijn vader wat Lukasz heeft gezegd. Over de winkel van Hermann en hoe het leven hier in die tijd was. Daarna staan we een poosje uit te kijken over de velden voordat we uiteindelijk omkeren en naar de slijterij lopen. Die op onze voorvaderlijke grond staat, die we nooit terug zullen krijgen.

'We gaan de slijterij in en dan bezetten we die,' zegt mijn vader. 'We eisen ons rechtmatige bezit terug.'

'Ja,' valt mijn zoon hem bij.

'Een Wattin geeft het nooit op,' roept mijn vader uit.

We blijven nog even staan. We kijken uit over het plein en lezen de borden voor de winkel die reclame maken voor goedkoop bier en alcopop. Dan komt mijn vader met een nieuw voorstel.

'Laat die bezetting maar. We gaan naar binnen en graaien zo veel mogelijk mee. Dan rennen we naar buiten, gooien alles in de auto en rijden weg voordat ze ons kunnen tegenhouden. Dat is het minste wat ze ons verschuldigd zijn.'

'Ja,' zegt mijn zoon beslist.

'Een Wattin geeft het nooit op,' zeg ik.

We knikken ernstig naar elkaar, openen de deur van de winkel en lopen naar binnen. Het is een mooi zaakje met een paar koelkasten en planken met wijn en sterkedrank. Uit een luidspreker stroomt het winnende songfestivallied van Loreen, 'Euphoria', en achter een toonbank staat een jonge blonde vrouw met blauwe nagels en een naambordje op haar borst. Een detail dat mijn vader besluit nader te onderzoeken.

'Anita,' leest hij vrolijk. *'It is a very Swedish name. In Sweden many people are called Anita.'*

De vrouw achter de toonbank lijkt niet goed te begrijpen wat hij bedoelt, maar ze glimlacht en laat een giecheltje horen. Als ik niet beter wist, zou ik denken dat mijn vader met haar staat te flirten. Maar dat is zo absurd, dat kan gewoon niet. Dit is wel mooi een plundertocht, verdorie!

'Anita, it is a Swedish name,' probeert mijn vader nog eens. Nu op die Duitse, wat schreeuwerigere manier.

Maar dat werkt ook niet. Anita kijkt nog steeds even vragend, wat mijn vader ertoe brengt op een nieuwe manier in de aanval te gaan.

'Blue nails,' zegt hij met een lekker vet Zweeds accent en hij wijst naar haar nagels. *'Very nice blue nails.'*

Anita lacht en zegt iets in het Pools wat geen van ons drie musketiers verstaat. Op de radio is Loreen nu bij het refrein aangekomen.

'This is a Swedish song,' roept mijn vader plotseling uit. *'It really is. A Swedish song.'*

Anita glimlacht weer en we blijven zwijgend staan. Dan pak ik een paar flessen vruchtensap en cider en loop ermee naar de kassa. Tot zover het terugpakken van ons rechtmatige bezit. In plaats daarvan betaal ik zeven złoty, bedank en loop de winkel uit.

Op het plein staat een bankje. We gaan zitten en kijken uit over de velden en de golvende heuvels in de verte. Ik neem een slok cider en geef de fles aan mijn vader. Ik neem aan dat hij dorst heeft, want de drank loopt zijn keel in alsof het limonade is. Ja, hij drinkt het bijna allemaal in één teug op. Wanneer er nog maar een klein beetje cider in de fles zit, pak ik hem die af.

'Wat doe je?' vraagt hij.

'Doe een beetje rustig aan,' zeg ik.

'Wat? Mag ik niet drinken?'

'Moet je niet rijden?'

'Waarom mogen jullie alleen drinken? Ik wil ook cider.'

'Wil je echt nog meer? Anders ben je daar altijd zo voorzichtig mee.'

'Mag je vader niet een beetje cider drinken?'

'Hoezo een beetje? Je hebt bijna de hele fles leeggedronken. En dit is alcoholhoudende cider. Er zit meer in dan in bier.'

'O ja?' vraagt hij verbaasd. 'Waarom heb je dat niet gezegd?'

'Dat heb ik gezegd,' zeg ik. 'Drie keer.'

'Ja, ja.'

We nemen nog een slok op de familie en zitten dan weer voor ons uit te kijken over het plein. Daarna bedenkt mijn vader dat hij een tas van de slijterij wil als aandenken, dus Leo en ik gaan naar binnen om er een te halen. Hij is zwart en ziet eruit als een heel gewone plastic tas, maar toch lijkt mijn vader erg blij met zijn souvenir.

'Dit is onze schat,' zegt hij tevreden. 'Dit en het hangertje.'

'Ja,' zeg ik. 'Maar het is jammer dat we niet naar de echte schat konden graven. Dat de archeologen ons voor zijn geweest.'

Dan werpt mijn vader mij een uiterst verbaasde blik toe. Zo'n soort blik waarmee Heinz de persoon aankeek die hem naar Dachau vroeg, en mijn oma mij toen ik vroeg wat ze op de naam van mijn derde zoon tegen had. En dan zegt hij: 'Je begrijpt toch wel dat er nooit een schat is geweest?'

'Hè?' zeg ik.

'Dat was maar een verzinsel.'

'Hè?' zeg ik weer. 'Hoe kun je dat zo zeker weten?'

'Dat begrijp je toch wel?'

'Dat begrijp ik niet,' zeg ik. 'Waarom zei hij dan dat er een schat was?'

'Dat weet ik niet,' zegt mijn vader. 'Dat zal zijn fantasie zijn geweest. Ik dacht dat je dat wel had begrepen.'

En misschien was het echt wel zo dat het niets met Duitsers, Russen of archeologen te maken had. Dat het alleen de fantasie van een beschadigde man was. Een man die niet kon vertellen over wat hij werkelijk had meegemaakt en had besloten in plaats daarvan een sprookje te vertellen. Iets hoopvols wat zijn kinderen spannend zouden vinden. Zou het enige wat mijn opa over zijn verleden had verteld een verzinsel geweest zijn?

Ik weet niet hoe het daarmee zit, en ik zal er waarschijnlijk ook nooit achter komen. Maar dat maakt nu niet uit. Het belangrijkste is dat we deze reis hebben gemaakt en hier aangekomen zijn. Mijn vader en ik zeuren dan wel veel en werken elkaar op de zenuwen, en het is nog maar de vraag of we ooit van elkaar zullen begrijpen volgens welke normen we proberen te leven, maar misschien is dat uiteindelijk ook niet zo belangrijk. Want we staan voor elkaar klaar en we houden van elkaar, en misschien is dat wel het maximale wat je van iemand anders mag verwachten. Zolang je niet vergeet af en toe lang en diep adem te halen.

*

Mijn vader stuurt een sms'je aan mijn moeder om te zeggen dat we op weg zijn naar huis. Dan staan we op van het bankje, zeggen vaarwel tegen de grond van onze voorvaderen en lopen terug naar de auto. Mijn vader gaat achter het stuur zitten en begint onmiddellijk aan zijn routebeschrijvingsprogramma te prutsen.

'Moet dat nou?' vraag ik. 'Het is toch precies dezelfde weg terug?'

'Je weet hoe het ging toen hij laatst uit stond,' antwoordt hij. 'En bovendien is er misschien een betere route.'

Terwijl hij zit te prutsen piept er opeens iets. Het is een bericht van mijn moeder.

'Wat gek,' zegt mijn vader nadat hij het heeft gelezen. 'Ze zegt niet eens "kus".'

'Wat had jij dan ge-sms't?' vraag ik.

'Ik had ge-sms't: "Ik zal blij zijn als ik weer thuis ben. Kus."'

'Misschien omdat je niet hebt gezegd dat je blij zult zijn als je weer bij háár thuis bent?' opper ik na een tijdje.

'Vast,' zegt mijn vader. 'Ze zal me wel met de deegroller in de aanslag staan opwachten.'

Hij wendt zich tot mijn zoon. 'Ik weet precies hoe dat gaat,' zegt hij dan. 'Eerst knuffelt ze jou en dan zegt ze: "O, wat ben ik blij je te zien, kleinkind." En dan,' gaat mijn vader verder en hij richt zich tot mij: "O, wat ben ik blij je te zien, mijn zoon," en dan knuffelt ze jou. En dan geeft ze mij zo'n klap met de deegroller dat ik op de grond val.'

'En ze geeft je een draai om je oren,' doe ik nog een duit in het zakje.

Mijn vader kijkt weer op zijn telefoon.

'Ik snap echt niet waarom ze niet "kus" heeft gezegd. Dat had ik wel gezegd.'

'Stuur dan nog iets,' stel ik voor. 'Zoals: "PS Ik hou van je."'

'Nee,' zegt mijn vader resoluut.

'Waarom niet?'

'Dat is te sterk.'

'Hoezo te sterk? Jullie zijn veertig jaar getrouwd. Dan kun je toch wel schrijven dat je van iemand houdt?'

'Nee.'

'Maak er dan van: "PS Ik mis je."'

'Dat is te zwak.'

'Dat is toch niet zwak?' protesteer ik.

'Doe dan: "PS Ik mis je heel erg,"' stelt mijn zoon voor.

'Nee,' zegt mijn vader. 'En hou die stomme adviezen maar voor je.'

'Het zijn geen stomme adviezen,' zeg ik. 'Het zijn gratis tips. Het is zelfs mijn werk. Strategische communicatie heet dat. En daar krijg ik negenhonderd kronen per uur voor.'

'Nou, van mij niet,' zegt mijn vader. 'En als jij dan zo ontzettend goed kunt communiceren, hoe komt het dan dat je bijna nooit iets van je liet horen toen je door Afghanistan reisde?'

'Ik was in Pakistan.'

'Onthou dat goed, Leo,' zegt mijn vader, die zich weer tot mijn zoon richt. 'Wanneer je door vreemde landen reist en je ouders zijn erg ongerust en weten niet of je nog leeft, dan moet je gebruikmaken van de methode van je vader en om de drie maanden midden in de nacht collect call bellen. Dan weet je zeker dat ze thuis zijn.'

Ik haal diep adem, laat de lucht langzaam ontsnappen en schreeuw: 'EEN WATTIN GEEFT NOOIT OP.'

Mijn vader kijkt mijn zoon aan, schudt bezorgd zijn hoofd en zegt: 'Wat een misbaar daar achterin.'

Hij start de auto en rijdt achteruit de parkeerplaats af. Een paar seconden later begint de sprekende telefoon alweer: 'Over vijfhonderd meter, sla links af.'

De thuisreis is begonnen.

Epiloog: acht maanden later

Acht maanden na onze reis hoor ik toevallig iets over een archief waar misschien meer in staat over mijn familie. Ik neem contact op met een archivaris, die me vertelt dat er meer dan vierhonderd bladzijden zijn die iets te maken hebben met mijn opa Erwin. Documenten waarvan ik of andere familieleden het bestaan niet kenden, en die vertellen over een heel andere kant van het leven van de Joodse vluchteling Erwin Sigfried Isakowitz. Op de papieren die ik een paar weken later toegestuurd krijg, staat – in de vorm van processen-verbaal, rapporten en verzoekschriften – zijn hele geschiedenis. Alles wat hij heeft meegemaakt en nooit aan iemand heeft verteld.

Daar staat onder andere te lezen dat mijn opa in Königsberg economie studeerde, totdat hij daar in 1934 vanwege de rassenwetten mee moest stoppen en zich net als mijn opa Ernst bij de Hechalutzbeweging aansloot. Zijn doel hiermee, schrijft hij in een van de aanvragen, was Duitsland verlaten. Die kans kreeg hij in 1937, toen hij na drie jaar als boerenarbeider in eigen land een doorreisvisum voor Denemarken kreeg. Daar werkte hij ongeveer een jaar, waarna hij, in augustus 1938, verder trok naar Zweden, waar hij zich nog drie jaar afbeulde op verschillende boerderijen.

Daar was in de familie niets over bekend. We vermoedden weliswaar dat hij hier was gekomen via Hechalutz en wisten dat hij korte tijd op het platteland van Skåne had gewerkt. Maar dat hij zich zeven jaar een ongeluk had gewerkt, daar hadden we geen idee van. Daar had hij met geen woord van gerept. Hij had ook nooit verteld dat hij een jaar in Hässelby had gewerkt, in de buurt van mijn opa Ernst, en ook niet dat hij soms een tijdlang moeilijk aan werk kon komen en dat hij een keer of drie bij een daklozenopvang had overnacht.

Maar uit de vierhonderd pagina's blijkt niet alleen hoe zwaar het leven was, maar vooral ook hoe machteloos, kwetsbaar en onveilig mijn opa zich al die jaren moet hebben gevoeld. Het maakte niet uit hoe hij werd behandeld, hij moest zich altijd goed gedragen om zijn verblijfsvergunning te kunnen laten vernieuwen. Want tussen de papieren zitten allerlei rapporten, uitgevoerd met een bijna beangstigende grondigheid, waarin iedereen voor wie mijn opa heeft gewerkt of bij wie hij een kamer heeft gehuurd, zich over zijn deugdelijkheid als arbeider en als mens uitspreekt. Hier staat het oordeel van tuinder Lauritz Hansen die hem een 'degelijke jongen' noemt, en gardenier Sofus Jörgensen, die vindt dat Erwin Isakowitz 'zowel tijdens het werk als daarbuiten eerzaam gedrag aan den dag legde'.

De machteloosheid van mijn opa blijkt niet alleen uit de noodzaak om zich ondanks slechte arbeidsomstandigheden continu voorbeeldig te gedragen. Die komt vooral naar voren in de verzoekschriften die hij indient om te proberen zijn familieleden Duitsland uit te krijgen.

De eerste worden verstuurd vlak na de Kristallnacht en hebben betrekking op zijn zus Ewa, voor wie hij een verblijfsvergunning voor zes maanden aanvraagt. Hij schrijft dat hij een betrekking voor haar heeft geregeld als dienstmeisje en dat ze van plan zijn samen naar Argentinië te emigreren. Het verzoek wordt niet ingewilligd, maar Ewa en opa's andere zus Hanna hebben geluk, ze slagen erin Engeland te bereiken en kunnen op die manier de Holocaust overleven.

Voor hun vader Hermann was die mogelijkheid er niet, en aangezien hij op grond van zijn leeftijd ook geen visum voor Argentinië kon krijgen, was mijn opa zijn laatste hoop. Voor zover ik weet, correspondeerden die twee lange tijd. Eind 1941, toen Hermann zich volgens de documenten in Berlijn bevond en geruchten over deportatie de ronde begonnen te doen onder de Joden in de stad, vroeg hij zijn zoon hem het land uit te helpen.

Gezien de politiek die Zweden voerde, was dat geen eenvoudige opgave, maar mijn opa deed wat hij kon. Hij schreef lange verzoekschriften in bureaucratisch Zweeds en wist, ondanks zijn benarde situatie, mensen in het land zover te krijgen dat ze zich achter zijn aanvraag schaarden. Hij kreeg onder andere steun van de Internationale Vrouwenbond in Stockholm, waarvan de voorzitter zich persoonlijk verplichtte de verantwoordelijkheid voor het levensonderhoud van de heer H. Isakowitz in Zweden op zich te nemen. Die belofte werd bij een aanvraag gevoegd die op 4 november 1941 aan het ministerie van Buitenlandse Zaken werd gericht en waarin mijn opa schrijft:

'Mijn vader zal, als hij in de allernaaste toekomst geen uitreismogelijkheid kan verkrijgen, door de autoriteiten in Berlijn naar Polen worden gedeporteerd. Op zijn hoge leeftijd zal hij waarschijnlijk niet in staat zijn de hiermee gepaard gaande vermoeienissen te doorstaan en daarom verzoek ik eerbiedig om een tijdelijke verblijfsvergunning in dit land, totdat hij verder kan reizen.'

Ruim drie weken later krijgt hij het volgende antwoord:

Het paspoortenkantoor van het Koninklijke Ministerie van Buitenlandse Zaken heeft de eer mede te delen dat het verzoek van 4 november 1941 om een inreisvisum voor Herrmann Isakowitz **niet** kon worden ingewilligd. Stockholm, 28 november 1941

Aangezien de situatie voor de Joden in Berlijn steeds nijpender wordt, dient mijn opa meteen een nieuw verzoek in. Ditmaal doet hij zijn best om aan te geven dat hijzelf noch zijn vader een belasting zal zijn voor de Zweedse samenleving. Hij schrijft onder andere:

'Ikzelf zet me onvermoeibaar in voor het verkrijgen van een inreisvisum voor mijn vader en mijzelf, in de eerste plaats voor Argentinië. De mogelijkheid om die vergunning te verkrijgen is, volgens de mededelingen van mijn broer, die sinds vijf jaar in Argentinië gevestigd is, aanwezig zodra hij 21 jaar wordt en meerderjarig, wat over circa vijf maanden het geval zal zijn. Daarom denk ik dat het verblijf van mijn vader in Zweden, als de autoriteiten dat goedkeuren, slechts van korte duur zal zijn.'

Ik heb dit verzoek vaak gelezen en ben tot de conclusie gekomen dat wat erin staat een leugen moet zijn, aangezien mijn opa inmiddels wist dat Hermann te oud was om nog een visum voor Argentinië te kunnen krijgen. En bovendien ís zijn jongere broer Georg dan al eenentwintig en meerderjarig. Nee, opa waagt het er gewoon op en probeert de kansen van zijn vader op een visum te vergroten door het te laten klinken alsof hij niet lang in Zweden zou blijven.

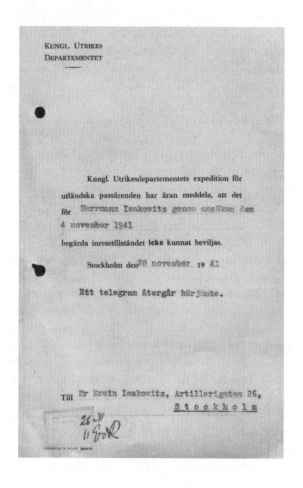

Op 7 januari krijgt hij het volgende antwoord*:

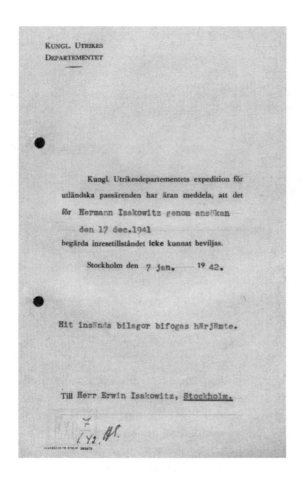

Kungl. Utrikesdepartementets expedition för utländska passärenden har äran meddela, att det för Hermann Isakowitz genom ansökan den 17 dec.1941 begärda inresetillståndet icke kunnat beviljas.

Stockholm den 7 jan. 19 42.

Hit insända bilagor bifogas härjämte.

Till Herr Erwin Isakowitz, Stockholm.

* Het antwoord van 7 januari 1942 is gelijk aan dat van 28 november 1941.

Mijn opa begint meteen aan een nieuw verzoekschrift. En midden in alle bureaucratie, frustratie en stress die dit redelijkerwijs moet meebrengen, krijgt hij deze brief van het Duitse consulaat in Malmö:

In dit schrijven staat dat zijn Duitse staatsburgerschap hem is ontnomen. De brief maakt ook duidelijk dat de Duitsers weten waar hij zich bevindt, een klein detail waarvan in 1942 elke willekeurige Joodse vluchteling de schrik om het hart zou zijn geslagen. Bovendien houdt het bericht in dat mijn opa iedere vorm van burgerrechten ontbeert wanneer hij, minder dan een week later, zijn derde aanvraag indient voor een tijdelijke verblijfsvergunning voor zijn vader. Hij geeft daarin weer de garantie dat zijn vader niet ten laste zal komen van de Zweedse samenleving, hij schrijft dat ze niet lang in het land zullen blijven en vraagt tussen de regels door om inwilliging van zijn verzoek omdat zijn vader het anders niet zal overleven.

Op 26 februari krijgt hij het volgende antwoord:

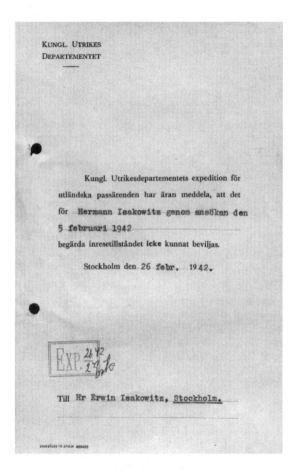

Dat is de laatste afwijzing. Korte tijd later komt deze kaart aan op het adres van mijn opa in Zweden:

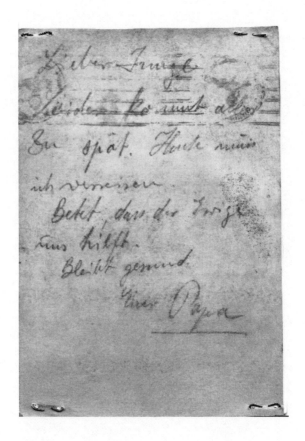

Daar staat op:

Lieve jongen,

Helaas komt alles te laat.
Vandaag moet ik op reis.
Bid dat de Eeuwige ons helpt.
Houd jullie goed,
Jullie vader.

En dat was het laatste wat mijn opa van zijn vader, Hermann Isakowitz uit Marienwerder, hoorde.

Slechts enkele maanden later raakte mijn oma Sonja in verwachting en zij en opa moesten trouwen. Iets meer dan zeven maanden daarna, in april 1943, werd het stateloze Joodse vluchtelingenkind geboren dat mijn vader zou worden.

Ik kan me alleen maar voorstellen hoe mijn opa zich moet hebben gevoeld. Hij had absoluut geen rechten en was afhankelijk van de goodwill van de staat om zijn verblijfsvergunning te kunnen vernieuwen en niet te worden teruggestuurd naar Duitsland. Bovendien had hij het financieel moeilijk, kreeg hij van zijn schoonvader weinig waardering en was hij er niet in geslaagd het leven van zijn vader te redden. En nu moest hij tot overmaat van ramp de kost verdienen voor een gezin. Dat kan niet gemakkelijk zijn geweest, en naar de documenten te oordelen werd het na de oorlog niet per se beter.

In het archiefmateriaal is te zien dat hij na 1945 een paar keer heeft geprobeerd toestemming te krijgen van de Zweedse autoriteiten om naar Engeland te reizen om zijn zussen te bezoeken, maar telkens wordt hem het visum geweigerd dat hij nodig heeft om weer naar Zweden terug te kunnen keren. Ik zie ook dat mijn opa Erwin en oma Sonja in 1947, vlak voordat het broertje van mijn vader geboren zou worden, een visum voor een halfjaar aanvragen voor mijn opa's zus Hanna. In de aanvraag schrijft mijn oma dat ze het financieel moeilijk hebben en de hulp van hun schoonzus nodig hebben nu ze er nog een kind bij krijgen. De brief is overtuigend en ze hebben zelfs iemand bereid weten te vinden vijfhonderd pond op tafel te leggen als garantie dat Hanna terug zal keren naar huis wanneer haar visum verlopen is. Maar ook dat verzoek wordt afgewezen. Net als het verzoek dat mijn opa Erwin in 1949, na elf jaar in Zweden, indient om de zussen te mogen bezoeken die hij twaalf jaar niet heeft gezien.

Later dat jaar kregen hij en mijn oma Sonja de Zweedse nationaliteit en daar houdt de documentatie op en kan ik hun spoor niet verder volgen. Maar na alles wat ik heb gelezen, heb ik het gevoel dat mijn opa inmiddels een gebroken man was. Dat hij het niet meer zag zitten en dat hij zich mislukt voelde en in een hoekje gedreven waar hij nooit terecht had willen komen. En dat hij zijn frustratie afreageerde op de enigen over wie hij macht had. Zijn kinderen.

Uittreksel uit Yad Vahsems Central
Database of Shoah Victims' Names:

ISAKOWITZ HERMANN

'Hermann was murdered in Riga, Latvia. This information is
based on a list of deportation from Berlin found in *Gedenk-
buch Berlins der juedischen Opfer des Nazionalsozialismus*,
Freie Universitaet Berlin, Zentralinstitut fuer sozialwis-
senschaftliche Forschung, Edition Hentrich, Berlin 1995.'

Dankwoord van de schrijver

Dit was mijn poging om te vertellen over de familieleden die met hun vrienden uit Duitsland wegvluchtten om aan de Holocaust te ontsnappen. Het is een boek dat ik al bijna twintig jaar wilde schrijven, maar waar ik me niet eerder aan had gewaagd omdat ik bang was dat ik de mensen over wie het gaat geen recht kon doen. Of ik daar nu wel in geslaagd ben, weet ik niet. Ik besef dat er een grote kans is van niet, maar ik heb in ieder geval mijn best gedaan. De meesten van deze overlevers zijn niet meer onder ons, maar het boek is toch voor een groot gedeelte voor hen geschreven:

Voor Heinz Kiewe, Ernst Lachmann, Erwin & Sonja Wattin, Hans & Henny Baruch, Ruth & Heinz Lachmann, tante Hilde, opa Lachmann, Mick Gumpert, Isak & Selma Levinsky, Günter Scharon en hun vrienden en kennissen. En natuurlijk ook voor mijn oma Helga Lachmann, die in de periode dat ik aan dit boek werkte is overleden en een grote leegte heeft achtergelaten onder al onze afzuigkappen.

Ik ben door zo veel mensen geholpen tijdens het werken aan *De erfenis van meneer Isakowitz* dat ik niet goed weet waar ik moet beginnen. Iedereen die me heeft geholpen met het verkrijgen van informatie met betrekking tot mijn familie: Paul Levine en Carl-Henrik Carlsson van de universiteit van Uppsala, het Rijksarchief in Marieberg, het Nordiska museet, de gemeente Kwidzyn, Anna Przybyszewska Drozd van het Emanuel Ringelblum Jewish Historical Institute in Warschau, de Central Zionist Archives in Jeruzalem, het Forum för Levande Historia, het Stadsarkivet van Göteborg, de International Tracing Service, de German Federal Archives, het US Holocaust Museum, Ingrid Lomfors, the Museum of the History of Polish Jews, het Tabularium Kwidzyn, het Bundesarchiv in Berlijn, Pracownia Regionalna, Yad Vashem, Hans Kaufmann en Stephen Spielbergs Shoah Foundation. Hartelijk dank ook aan Lukasz en zijn familie, voor alle hulp en goede zorgen.

Uiteraard wil ik ook al mijn familieleden bedanken. Die mijn geschiedenis delen, die mij hebben geholpen nieuwe stukjes van de familiepuzzel te vinden en die hebben gelezen en de dingen die ik verkeerd had begrepen hebben gecorrigeerd. Dus bedankt Hanna & Benny, Gitta, Johnny L., John W., Lissi, Georg en de Argentijnse Isakowitzclan, Gabi en zijn Israëlische stam, Tami en haar Amerikaanse club, Gaby in Zuid-Afrika, mijn zus Jill, mijn moeder Susanne en alle inwoners van Lachmanië.

Ik zal altijd dankbaar blijven dat mijn vader is meegegaan op dit avontuur en er iets bijzonders van heeft gemaakt wat ik, daar ben ik van overtuigd, de rest van mijn leven bij me zal dragen. De reis en de daaropvolgende discussies tussen ons zijn ontzettend waardevol geweest, zowel voor het boek als voor mij persoonlijk.

Dank ook aan mijn oudste zoon, Leo, die op het idee kwam dat we de schat moesten gaan zoeken. Dit boek is voor jou en voor je broers Mingus en Moses. Opdat jullie zullen begrijpen en opdat we nooit zullen vergeten.